Müller
Faire le point

Corinne Müller

Faire le point

Exercices

De la base à la maturité

Corinne Müller
Faire le point
Exercices | Solutions
ISBN Print inkl. eLehrmittel: 978-3-0355-1935-8
ISBN eLehrmittel: 978-3-0355-1936-5

Bibliografische Information der Deutschen Nationalbibliothek:
Die Deutsche Nationalbibliothek verzeichnet diese Publikation
in der Deutschen Nationalbibliografie; detaillierte bibliografische
Daten sind im Internet über http://dnb.dnb.de abrufbar.

2. Auflage 2021
Alle Rechte vorbehalten
© 2021 hep Verlag AG, Bern

hep-verlag.ch

Préface

Chers étudiants et chères étudiantes,

J'ai le plaisir de vous présenter *Faire le point. Exercices,* qui donne suite à *Faire le point. Grammaire française.* Ce livre d'exercices se fonde sur la logique de la grammaire et va même au-delà. La difficulté des exercices augmente avec leur nombre à l'intérieur d'un thème grammatical et au cours de la progression du livre. L'icône de la tour Eiffel invite à se reporter à *Faire le point. Grammaire française,* ce qui permet une navigation rapide et une compréhension plus facile des exigences grammaticales.

La promesse « De la base à la maturité » est maintenue également pour ce livre d'exercices. Cela veut dire qu'en plus des exercices relatifs aux thèmes du livre grammatical, des exercices plus complexes, réunissant plus d'un ou deux thèmes grammaticaux, sont proposés à la fin du livre. Les chapitres « Structures grammaticales diverses » et « Grande finale » proposent des exercices semblables à ceux qu'on pourrait trouver dans un examen de maturité. En d'autres termes, une multitude de compétences grammaticales différentes sont exigées dans un seul exercice. Ceci vous permet, chers étudiants, chères étudiantes, de mettre en œuvre tout votre savoir grammatical et de tester vos compétences linguistiques dans un contexte plus authentique.

Les exercices offrent une palette variée de sujets tels que, d'une part, des thèmes issus du milieu social et scolaire des élèves – certains textes sont ainsi inspirés de faits réels – et, d'autre part, des thèmes culturels, scientifiques, historiques, géographiques ou même typiquement suisses. L'idée est de couvrir une multitude d'intérêts. Chers lecteurs, chères lectrices, j'espère qu'il y en aura aussi pour vos goûts.

Permettant de travailler de manière individuelle et autonome, le livret des solutions fournit de nombreuses explications et fait le lien avec le livre théorique au moyen de renvois. Ceux-ci aident à mieux comprendre la raison de l'usage d'une certaine forme grammaticale et à identifier la cause d'une faute commise.

Finalement, j'aimerais exprimer ici mes remerciements à toutes les personnes qui ont contribué à la finalisation de ce livre, à la maison d'édition hep pour la précieuse collaboration, à ma famille et mes amis pour leur soutien, et surtout à mes élèves qui me donnent l'envie de continuer mon travail jour après jour. MERCI !

Corinne Müller
Mars 2021

Table des matières

Temps et modes 9
Le présent 10
Le futur proche et le passé récent 17
Le temps du passé 21
Le futur 36
L'impératif 44
Le conditionnel 49
La phrase hypothétique 58
Le subjonctif 64
Tous les temps et tous les modes 79

Substantifs et articles 81
L'article 82
Le pluriel 91

Pronoms 95
Les démonstratifs 96
Les pronoms directs et indirects 102
Les pronoms «y» et «en» 111
Les pronoms directs et indirects + «y» et «en» 114
Les pronoms relatifs 117
L'adjectif possessif 135
Le pronom possessif 142
Les pronoms toniques 147

Adjectif et adverbe 151
L'adjectif 152
L'adverbe 164
Le comparatif et le superlatif 175

Varia **183**

Tout 184

Pays et villes 186

Expressions de quantité 191

Les questions 196

La négation 201

Le discours indirect 209

Le passif 218

Le participe présent et le gérondif 224

Les connecteurs 231

Discussion 237

Voie libre à la maturité **239**

Structures grammaticales diverses 240

Grande finale 247

Crédits photos **259**

Temps et modes

Le présent

1. Formation : les verbes –er et les verbes doubl–acc–i

Mettez les verbes à la bonne forme.

a. sautiller — je _____
b. suer — tu _____
c. se promener — il _____
d. placer — nous _____
e. mâcher — vous _____
f. récupérer — ils _____
g. manipuler — je _____
h. commencer — tu _____
i. s'ennuyer — elle _____
j. traverser — nous _____
k. effacer — vous _____
l. nuancer — elles _____
m. mélanger — je _____
n. se maquiller — tu _____
o. essuyer — il _____
p. nager — nous _____
q. rappeler — vous _____
r. dessiner — ils _____
s. exagérer — je _____
t. marcher — tu _____
u. manifester — elle _____
v. se tromper — nous _____
w. se venger — vous _____
x. contrôler — elles _____

2. Formation : les verbes -ir et les verbes COCOS

Mettez les verbes à la bonne forme.

voir p. 12

a. venir — je _____
b. mentir — tu _____
c. rôtir — il _____
d. rougir — nous _____
e. servir — vous _____
f. rajeunir — ils _____
g. ouvrir — je _____
h. mourir — tu _____
i. dormir — elle _____
j. vieillir — nous _____
k. remplir — vous _____
l. souffrir — elles _____
m. sentir — je _____
n. blanchir — tu _____
o. fuir — il _____
p. réussir — nous _____
q. ralentir — vous _____
r. courir — ils _____
s. tenir — je _____
t. offrir — tu _____
u. ralentir — elle _____
v. finir — nous _____
w. bâtir — vous _____
x. grossir — elles _____

3. Formation : les verbes -re et les verbes -oir

Mettez les verbes à la bonne forme.

a. paraître — je _____

b. pouvoir — tu _____

c. falloir — il _____

d. interrompre — nous _____

e. conduire — vous _____

f. prendre — ils _____

g. mettre — je _____

h. rire — tu _____

i. apprendre — elle _____

j. craindre — nous _____

k. rompre — vous _____

l. prétendre — elles _____

m. attendre — je _____

n. suffire — tu _____

o. apercevoir — il _____

p. voir — nous _____

q. perdre — vous _____

r. recevoir — ils _____

s. fondre — je _____

t. suivre — tu _____

u. rendre — elle _____

v. boire — nous _____

w. dire — vous _____

x. vivre — elles _____

4. Poetry slam

Mettez les verbes entre parenthèses au présent.
Ce texte contient des verbes que vous ne connaissez peut-être pas, mais ceci ne doit pas être un problème ! Si vous apprenez les règles de la formation, vous êtes capables de former également des verbes que vous n'avez encore jamais entendus.

Dimanche soir, Livia ne _____ (avoir) rien à faire et pour cela elle _____ (allumer) la télé. Le programme ne la _____ (décevoir = enttäuschen) pas. Bien au contraire ! Sur l'écran _____ (s'afficher) de jeunes hommes et femmes qui _____ (participer) à un *poetry slam*.

Peu à peu, Livia _____ (apprendre) les règles d'un *poetry slam*. Dans un tel *poetry slam*, il _____ (s'agir) de présenter un *texte slam* qui _____ (devoir être) présenté sur scène devant un public. Le public _____ (élire) le meilleur texte. Les spectateurs _____ (applaudir) plus ou moins fort ou ils _____ (brandir = hochhalten) des feuilles avec des chiffres de 0 à 10.

Pendant la nuit, Livia ne _____ (réussir) pas à dormir, elle _____ (espérer) pouvoir participer également à un *poetry slam*. Elle _____ (se lever) donc, _____ (sortir) du tiroir des feuilles et un stylo, _____ (s'asseoir) au bureau et _____ (commencer) à écrire. Elle _____ (écrire) des mots clés, des proverbes, des métaphores qui lui _____ (plaire). En plus, elle _____ (essayer) de formuler des rimes, mais elle _____ (échouer = scheitern). Les rimes _____ (être) banales et elles ne la _____ (satisfaire = zufriedenstellen) pas. Livia _____ (jeter) la feuille à la poubelle.

Temps et modes : Le présent

La deuxième tentative _____ (paraître) déjà meilleure. Les phrases _____ (réussir) à transmettre une idée originale d'un monde irréel. Mais Livia _____ (savoir) qu'elle _____ (pouvoir) encore faire mieux. Mais plus cette nuit. Elle _____ (éteindre) la lumière et _____ (s'endormir) vite.

Les jours suivants, Livia _____ (créer) encore une dizaine de textes. Elle les _____ (modifier) et les _____ (compléter). Elle _____ (s'inscrire) même à un *poetry slam* à Bâle le mois suivant. Les derniers jours avant le *slam*, elle _____ (s'entraîner) à bien présenter son texte.

Le jour du *slam* venu, Livia _____ (craindre) d'oublier le texte sur scène ou de ne pas convaincre les spectateurs. Elle _____ (souffrir) de nausées (= Übelkeit) car elle _____ (être) tellement nerveuse. Elle _____ (aller) sur scène, _____ (prendre) le microphone en main et _____ (ouvrir) la bouche – mais aucun son ne _____ (sortir).

Les spectateurs _____ (percevoir) la nervosité de Livia qui _____ (être) « une vierge », car toutes les personnes qui _____ (participer) pour la première fois sont considérées et appelées des « vierges ». Les spectateurs _____ (se mettre) à applaudir et à encourager Livia.

Après quelques secondes, Livia _____ (prononcer) ses premiers mots et _____ (finir) son texte sans faute ni pause. Elle _____ (gagner) la deuxième place de son premier *poetry slam*.

5. Un weekend à l'*Open Air Heitere*

Complétez les phrases au présent en choisissant un verbe de la liste ci-dessous.

> plaire entendre se mettre chanter préparer vouloir (r)ouvrir imprimer tenir
> éclater (= ausbrechen, z. B. in Lachen) faire valoir regarder se retrouver (= sich wiederfinden)
> servir être tomber avoir répondre acheter essayer recevoir découvrir dormir
> se tenir oublier tendre (= hinstrecken; etwas reichen) se réjouir se divertir connaître
> descendre essuyer prendre saisir (= packen; fassen) se rompre (= kaputtgehen; brechen)

voir p. 10 à 15

Benjamin et ses amis, Philipp, Rebecca et Deborah, _____ aller aux concerts de l'*Open Air Heitere*.

Ils _____ des billets sur internet six mois à l'avance car ils _____ peur qu'il n'y en ait plus.

Benjamin ne _____ pas tous les musiciens, mais selon lui, ça _____ la peine d'y aller. Chaque fois, Benjamin et ses amis _____ un artiste nouveau qui leur _____.

Le jour avant l'*Open Air Heitere*, Benjamin _____ les billets par e-mail et il les _____ avec son imprimante à la maison.

D'ailleurs, les quatre amis _____ leurs bagages pour passer trois jours sur la colline du *Heitere* sans devoir retourner à la maison. Ils _____ tout ce qui _____ pour faire du camping.

Ils _____ de passer un weekend formidable.

Finalement, ce _____ l'heure de monter sur la colline.

Benjamin _____ en marche, mais Rebecca et Deborah le _____ par le bras.

Rebecca : « Tu ne _____ rien ? » Benjamin _____ ses amis de manière surprise et _____ convaincu : « Ben, non!! »

Rebecca et Deborah lui _____ les billets, car Benjamin les a laissés sur la table à manger.

Les amis _____ beaucoup à écouter les concerts de différents groupes musicaux, cependant ils ne _____ pas beaucoup la nuit du fait que le bruit les _____ éveillés. D'ailleurs, dès qu'ils _____ de fermer les yeux, ils les _____ parce qu'une personne _____ sur leur tente ou _____ très fort une des chansons du concert.

Le deuxième jour, les quatre amis _____ leur petit-déjeuner devant leurs deux tentes sur les petites chaises apportées. Tout à coup, on _____ un « cric, cric …crack », la chaise _____ et Philipp _____ par terre. Deborah, Rebecca et Benjamin _____ de rire, ils _____ le ventre et _____ les larmes qui _____ leurs joues.

C'est une fin de semaine à ne jamais oublier.

Le futur proche et le passé récent

1. Le futur proche

Complétez les phrases en utilisant le futur proche.

voir p. 16

a. Ce soir, je _____ (suivre) le match de tennis.

b. Dans peu de temps, Alina _____ (terminer) sa thèse de doctorat.

c. Dans un moment, le train _____ (entrer) en gare.

d. Est-ce qu'ils _____ (plonger) dans la mer ?

e. Je suis fatigué, je _____ (se coucher) dans une demi-heure.

f. Prochainement, tu _____ (assister) à un spectacle unique.

g. Nous _____ (inventer) une excuse pour expliquer notre retard.

h. Reena et Juliette _____ (aller faire) des courses pour le dîner.

i. Est-ce que vous _____ (partir) ?

j. Eliana _____ (mettre) sa plus belle robe pour le bal de ce soir.

k. Demain, je _____ (déménager) et _____ (aller habiter) dans un nouvel appartement.

l. Mes amis _____ (m'écrire) pour organiser la fête de samedi.

m. Tu _____ (s'amuser) pendant ton stage à l'étranger.

n. Nous _____ (se faire casser) le nez, si nous nous mêlons des affaires personnelles des autres.

o. Si tu ne te dépêches pas, tu _____ (rater) le bus.

2. Le futur proche pour les avancés

Complétez les phrases en utilisant le futur proche, mais, cette fois-ci, le verbe « aller » est à l'imparfait.

a. Guillaume a vu que la voiture _____ (être) volée, c'est pourquoi il a appelé la police.

b. Madeleine a cru que ses notes _____ (baisser).

c. Les enfants pensaient que Saint-Nicolas _____ (ne pas venir) chez eux, parce qu'ils n'avaient pas obéi aux parents.

d. J'étais sûre que ce restaurant dégueulasse _____ (fermer) ses portes prochainement.

e. Je rêvais que nous _____ (faire) un tour du monde.

f. Nous espérions que tu _____ (gagner) le championnat suisse.

g. Je _____ (se promener) avec le chien lorsque ma mère m'a demandé pourquoi je ne l'avais pas encore fait.

3. Le passé récent

Complétez les phrases en utilisant le passé récent.

a. Philipp _____ (partir) d'ici.

b. Grace _____ (raconter) une blague qui nous a fait rire.

c. Je _____ (ramasser) toutes les feuilles qui s'étaient envolées à cause du vent.

d. Carole _____ (être blessée) en jouant au basket.

e. Eléonore et Suzanne _____ (décorer) la salle de classe.

f. Nous _____ (présenter) notre travail de maturité.

g. Tu _____ (organiser) ton voyage pour cet été ?

h. Vous _____ (se changer) pour faire du sport.

i. Judith _____ (s'entraîner) pour le prochain championnat.

j. Est-ce que tu _____ (m'appeler) ?

k. Ils _____ (se déguiser) pour le carnaval de Bâle.

l. Le train _____ (quitter) la gare, nous sommes arrivés trop tard.

m. Nous _____ (voir) le nouveau film avec Jennifer Lawrence.

n. Kerstin et Eve _____ (gagner) le pari (= Wette) contre David et Daniel.

o. Notre famille _____ (s'installer) dans la nouvelle maison.

p. Je _____ (boire) mon cinquième café pour me réveiller.

4. Le passé récent pour les avancés

Complétez les phrases en utilisant le futur proche, mais, cette fois-ci, le verbe « venir » est à l'imparfait.

voir p. 17 (boîte grise)

a. Claude _____ (sortir) quand d'un coup il a commencé à pleuvoir fortement.

b. Le Louvre _____ (fermer) ses portes lorsque je suis arrivée.

c. Est-ce que tu _____ (faire) des achats pour ta fête d'anniversaire quand nous nous sommes croisés ?

d. J'ai sauvé un chien qui _____ (tomber) dans un trou.

e. Ils _____ (apprendre) toute la grammaire pour le test lorsqu'ils ont entendu que le professeur était malade et que l'examen n'aurait pas lieu.

f. Nous _____ (s'endormir) quand le téléphone a sonné.

g. Je _____ (remplir) la valise lorsqu'elle s'est cassée et que tous mes vêtements sont tombés par terre.

Le temps du passé

1. Formation : le passé composé

Mettez les verbes à la bonne forme.
Cet exercice contient aussi des verbes que vous ne connaissez pas ! Si vous apprenez les règles de la formation, vous êtes capables de trouver la forme correcte même des verbes que vous n'avez encore jamais entendus.

a. tirer — je _j'ai tiré_ ✓
b. trahir — tu _tu as trahi_ ✓
c. battre — il _il a battu_ ✓
d. rompre — nous _nous avons rompu_ ✓
e. obéir — vous _vous avez obéi_ ✓
f. serrer — ils _ils ont serré_ ✓
g. partir — je _j'suis parti_ ✓
h. savoir — tu _tu as su_ ✓
i. mourir — elle _elle est ~~couei~~ morte_
j. offrir — nous _avons offert_ ✓
k. lire — vous _avez lu_ ✓
l. s'attendre — elles _ont s'attendues_ ✓
m. vivre — je _ai vevu_
n. descendre — tu _es descendu_ ✓
?. — tu _?_
o. renvoyer — il _as renvoyé_ ✓
p. repartir — nous _sommes ~~avons~~ repartis_ ✓
q. vendre — vous _avez vendu_ ✓
r. garantir — ils _ont garanti_ ✓
s. achever — je _ai achevé_
t. être — tu _a_
u. s'endormir — elle _a s'endorm_
v. prétendre — nous _____
w. rappeler — vous _____
x. recevoir — elles _____

2. Formation : l'imparfait

Mettez les verbes à la bonne forme.

a. chanter — je _chantais_
b. comprendre — tu _comprenais_
c. écrire — il _écrivait_
d. rendre — nous _rendions_
e. placer — vous _placiez_
f. mettre — ils _mettaient_
g. vieillir — je _vieillissais_
h. croire — tu _croyais_
i. avoir — elle _avait_
j. s'habiller — nous _nous habillions_
k. être — vous _étiez_
l. servir — elles _servaient_
m. tenir — je _tenais_
n. boire — tu _buvais_
o. finir — il _finissait_
p. connaître — nous _connaissions_
q. acheter — vous _achetiez_
r. agir — ils _agissaient_

3. Nouilles faites maison – mais en classe

Mettez les verbes entre parenthèses au temps correspondant: au passé composé ou à l'imparfait.

Livia _avait_ (avoir) depuis longtemps l'idée de préparer des nouilles en classe pendant la semaine au Tessin. Non, elle ne _voulait_ (vouloir) pas acheter des nouilles Barilla et une sauce quelconque, elle _s'imaginait_ (s'imaginer) faire la pâte pour les nouilles de A à Z.

Janic et Tana _se sont mis_ (se mettre) à disposition pour faire les courses. Ils _ont acheté_ (acheter) de la farine, des œufs, du sel et des produits qui colorent les nouilles. Janic _souffrait_ (souffrir) beaucoup, tellement il _avait_ (avoir) faim et pour cette raison il _parcouru_ (parcourir) le magasin et _a pris_ (prendre) des produits dont la classe _n'avait_ (ne pas avoir) besoin.

Janic _avait continué_ (continuer) toujours à mettre des produits dans la corbeille pendant que Tana les _a remettait_ (remettre) dans les rayons (= Supermarktregal).

Finalement, Tana et Janic _a retourné_ (retourner) avec tout le matériel. La classe _pouvait_ (pouvoir) donc se mettre à cuisiner.

Livia _____ (amener) les machines pour former les nouilles et _____ (donner) une petite introduction aux autres. Les autres _____ (écouter) avec attention car ils _____ (avoir) envie de préparer un bon repas.

Ensuite, tous _____ (se mettre) au travail. Ils _____ (sortir) les œufs du réfrigérateur. Avec 100 g de farine, ils _____ (créer) un petit tas (= Häufchen) avec un creux (= Vertiefung) au milieu dans lequel ils _____ (casser) un œuf. Pendant quelques minutes, chacun _____ (pétrir = kneten) le mélange pendant que Livia _____ (observer) et _____ (corriger) les autres.

 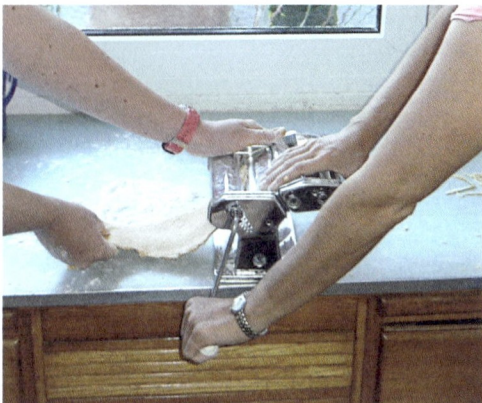 

Les différentes étapes de la fabrication des nouilles

Pour ajouter de la couleur, Grace _____ (choisir) la purée de tomates et sa pâte _____ (devenir) rouge. Marina, qui _____ (adorer) le jaune, _____ (verser) du safran. Milena au contraire _____ (préférer) des herbes qu'elle _____ (souhaiter) intégrer pour obtenir un léger goût de sauge (= Salbei). À Marit, la créative, il ne _____ (suffire) pas d'avoir une seule couleur, elle _____ (intégrer) tous les ingrédients qui colorent, la purée de tomates, le safran et la sauge.

Après avoir formé de jolies boules de pâte, les élèves _____ (se grouper) à trois pour former les nouilles avec la machine. Il y _____ (avoir) une distribution des tâches : Marit _____ (mettre) la pâte dans la machine, Tana _____ (tourner) la roue et Marina _____ (tenir) les nouilles lorsqu'elles _____ (sortir). Pour les sécher, Grace _____ (placer) les nouilles sur une corde qui _____ (traverser) toute la cuisine. Entretemps, Elise _____ (cuisiner) une sauce tomate. Et au bout d'une heure, le dîner _____ (être) prêt.

Toute la classe _____ (s'asseoir) à table pour dévorer avec beaucoup d'appétit un repas entièrement « fait maison ». Jamais des nouilles à la sauce tomate ne _____ (être) meilleures.

4. La *Marseillaise* – l'hymne national de la France

Le texte ci-dessous est écrit au présent.
Mettez les verbes soit au passé composé soit à l'imparfait.

voir p. 18 à 22

La *Marseillaise* _____ (est) un chant patriotique de la Révolution française[1] que la France _____ (adopte) comme hymne national : une première fois par la Convention pour une durée de neuf ans du 14 juillet 1795 jusqu'à l'Empire en 1804, puis définitivement en 1879 sous la Troisième République[2].

Histoire de l'hymne

Début : Claude Joseph Rouget de Lisle, capitaine du Génie à Strasbourg, _____ (écrit) les six premiers couplets dans la nuit du 25 au 26 avril 1792 pour l'Armée du Rhin à Strasbourg, à la suite de la déclaration de guerre de la France à l'Autriche[3]. Dans ce contexte originel, c'_____ (est) : un chant de guerre révolutionnaire ; un hymne à la liberté ; un appel patriotique à la mobilisation ; un appel au combat contre la tyrannie et l'invasion des étrangers.

Chant national : On _____ (déclare) la *Marseillaise* chant national le 14 juillet 1795.

Notation musicale de la Marseillaise

On _____ (abandonne) de nouveau le chant national de 1804 sous l'Empire jusqu'en 1930 et on l_____ (remplace) par le *Chant du départ*. En 1830, on _____ (reprend) la *Marseillaise* pendant la révolution des Trois Glorieuses qui _____ (porte) Louis-Philippe Ier au pouvoir. Berlioz en _____ (élabore) une orchestration (= Orchesterversion). En 1871, la *Marseillaise* _____ (devient) l'hymne de la Commune de Paris. Les élites politiques de la Troisième République pourtant _____ (considèrent) la *Marseillaise* comme une chanson blasphématoire.

Pour cette raison, on _____ (compose) une musique pour un nouvel hymne appelé *Vive la France*. C'_____ (est) un chant plus pacifique que celui de la *Marseillaise*.

Mais, étant donné que le peuple _____ (a) peur d'un retour de la monarchie, il _____ (redécouvre) le caractère d'émancipation de la *Marseillaise* et en _____ (fait) pour la troisième fois l'hymne national le 14 février 1879. C'_____ (est) donc la Troisième République qui _____ (proclame) la *Marseillaise* hymne national. En 1887, on en _____ (adopte) une version « officielle » et unique pour célébrer le centenaire (= 100 Jahre) de la Révolution. On _____ (veut) glorifier la république.

En plus, Maurice Faure, ministre de l'Instruction publique, _____ (instaure) l'obligation d'apprendre la *Marseillaise* à l'école en 1911.

Seconde Guerre mondiale : Pendant la Seconde Guerre mondiale, la *Marseillaise* _____ (est) interdite dans la zone occupée.
C'_____ (est) en effet le commandement militaire allemand qui _____ (interdit) de la jouer et de la chanter à partir du 17 juillet 1941, mais elle _____ (reste) autorisée dans la zone libre.

D'ailleurs, le chant *Maréchal, nous voilà !* _____ (accompagne souvent) la *Marseillaise*.

Son caractère d'hymne national est à nouveau affirmé dans l'article 2 de la Constitution du 27 octobre 1946 par la Quatrième République et en 1958 par l'article 2 de la Constitution de la Cinquième République française.

Aujourd'hui : Dernièrement, avec les évolutions actuelles de la société, le peuple français _____ (a) tendance à mettre en question la *Marseillaise* pour la violence de son texte.

Musique

Valéry Giscard d'Estaing _____ (fait) diminuer le tempo de la *Marseillaise* afin d'en retrouver le rythme originel.

Différents titres

Initialement, elle _____ (porte) différents noms : *Chant de guerre pour l'armée du Rhin*; *Chant de marche des volontaires de l'armée du Rhin*.

Le 22 juin 1792, le docteur François Mireur _____ (vient) à Marseille afin d'organiser et de coordonner les départs de volontaires du Midi (de Montpellier et de Marseille) vers le front. Il _____ (entend) la *Marseillaise* pour la première fois à Marseille. Ce chant _____ (transmet) l'atmosphère patriotique et enthousiaste du moment. Pour ceci on _____ (imprime) le chant sous le nom *Chant de guerre aux armées des frontières sur l'air de Sarguines*.

En juillet 1792, on _____ (distribue) une version différente de ce chant aux volontaires marseillais qui le _____ (chantent) pendant toute leur marche de Marseille à Paris.

Ils le _____ (chantent) également lors de leur entrée triomphale à Paris, le 30 juillet 1792. Immédiatement, la foule parisienne, sans se préoccuper de ses différents noms, _____ (baptise) ce chant : la *Marseillaise*. Ce titre _____ (paraît) simple et _____ (a) l'avantage de marquer de Strasbourg à Marseille, de l'Est au Midi, l'unité de la Nation. Écrite au Nord, chantée au Sud, elle _____ (unit) le pays.

De la rue Thubaneau aux Champs-Élysées, le chant de Rouget de Lisle _____ (devient) l'hymne des Marseillais et bientôt la *Marseillaise*. De fait, on pense souvent à tort qu'elle avait été écrite à Marseille, mais c'était à Strasbourg, rue de la Mésange.

Paroles

En fait, la version complète de la *Marseillaise* ne compte pas moins de quinze couplets. Mais le texte a subi plusieurs modifications. On compte aujourd'hui six couplets et un couplet dit « des enfants ». Seul le premier couplet est chanté lors des événements. Un couplet a été supprimé car il a été jugé trop violent.

Rouget de Lisle chantant la *Marseillaise*

Sur un manuscrit autographe de Rouget de Lisle, on voit clairement le refrain noté comme deux alexandrins : « Aux armes, citoyens, formez vos bataillons, / Marchez, qu'un sang impur abreuve vos sillons. », les verbes « marcher » et « former » étaient tous deux à la 2e personne du pluriel. La transcription « officielle » préfère la 1re personne du pluriel « Marchons, marchons », qui fait rime avec « bataillons » et « sillons ». En réalité, Rouget de Lisle était capitaine et il commandait ses hommes, d'où la formule impérative. Néanmoins, la *Marseillaise* est une marche et on peut imaginer que les soldats en manœuvre en reprenaient le refrain en chantant « marchons » et non « marchez ».

---

[1] La Révolution française (1789-1799) est la période de l'histoire de France comprise entre l'ouverture des États généraux, le 5 mai 1789, et le coup d'État du 18 brumaire de Napoléon Bonaparte, le 9 novembre 1799. Il s'agit d'un moment crucial de l'histoire de France, puisqu'elle marque la fin de l'Ancien Régime et le remplacement de la monarchie absolue française par une monarchie constitutionnelle, puis par la Première République.

[2] La Troisième République est le régime républicain en vigueur en France de 1870 à 1940. La Troisième République est le premier régime français à s'imposer dans la durée depuis 1789. En effet, après la chute de la royauté, la France a expérimenté, en quatre-vingts ans, sept régimes politiques.

[3] Au mois de mai 1791, Léopold II, empereur du Saint-Empire romain, roi de Bohême et de Hongrie (Kaiser von Österreich), est averti par sa sœur, la reine Marie-Antoinette (femme de Louis XVI), de la préparation de la fuite de la famille royale. Cette nouvelle situation met Léopold II dans l'obligation d'intervenir dans les affaires françaises. La fuite manquée de Louis XVI, arrêté à Varennes, est un des événements les plus importants de la Révolution française. Cette initiative malheureuse du roi précipite la guerre, déclarée au « roi de Bohême et de Hongrie », entre la jeune monarchie constitutionnelle et l'Europe dynastique.

5. Formation : le plus-que-parfait

Mettez les verbes à la bonne forme.

a. noter — je _____

b. apprendre — tu _____

c. recevoir — il _____

d. peindre — nous _____

e. affirmer — vous _____

f. commettre — ils _____

g. grandir — je _____

h. boire — tu _____

i. mourir — elle _____

j. sortir — nous _____

k. être — vous _____

l. agir — elles _____

m. mâcher — je _____

n. se maquiller — tu _____

o. paraître — il _____

p. conduire — nous _____

q. payer — vous _____

r. tomber — ils _____

6. Voyage scolaire en Roumanie – partie I

Le texte ci-dessous rapporte l'histoire vécue par une classe.
Mettez les verbes entre parenthèses au temps correspondant : le passé composé, l'imparfait ou le plus-que-parfait.

En avril, la classe 3D _____ (partir) en voyage scolaire d'une semaine à l'étranger. Au début de la troisième année du gymnase, les élèves _____ (choisir) comme destination un pays pas trop connu : la Roumanie. Pendant de longues leçons de classe (= Klassenstunden), ils _____ (discuter) des choses à voir et _____ (organiser) le transport, les logements et les activités.

Finalement, le jour du départ _____ (arriver). Les élèves _____ (prendre) le train pour aller à l'aéroport de Bâle et heureusement, le train ne _____ (être) pas en retard.

Arrivés à l'aéroport, ils _____ (passer) le contrôle et _____ (acheter) encore un petit-déjeuner, car il _____ (falloir) encore attendre l'embarquement (= Boarding). Lorsque l'hôtesse de l'air _____ (annoncer) qu'on _____ (pouvoir) passer à l'embarquement, les élèves _____ (se mettre) à faire la queue. Ils _____ (sortir) de leurs sacs les billets qu'ils _____ (imprimer) à la maison.

Un élève après l'autre _____ (se faire) contrôler lorsque, d'un coup, la machine qui scanne les billets _____ (refuser) le document de Michèle. Celle-ci, un peu nerveuse, _____ (se retourner) et _____ (chercher) la prof qui _____ (attendre) quelques mètres plus loin.

Temps et modes : Le temps du passé

La professeur qui _____ (faire) le check-in en ligne la semaine précédente _____ (être) étonnée de voir qu'un élève après l'autre _____ (quitter) la queue parce que l'hôtesse de l'air leur _____ (demander) d'attendre à l'écart (= abseits). Il _____ (s'agir) de la moitié de la classe qui ne _____ (figurer) pas comme « checked-in ».

Les onze élèves mis à l'écart _____ (avoir l'air) irrités et inquiets.

La prof _____ (interroger) l'hôtesse de l'air qui _____ (parler) au téléphone avec des techniciens.

Apparemment, il y _____ (avoir) un problème technique la nuit d'avant et le serveur de la compagnie aérienne _____ (essayer) à cet instant de résoudre le problème.

Au bout de quinze minutes, toute la classe _____ (pouvoir passer) l'embarquement.

Arrivés à bord, les élèves et les deux profs _____ (s'installer) dans leurs sièges et _____ (attendre) le départ de l'avion pour Cluj.

Marit, qui _____ (aimer) voler, _____ (chanter) sans interruption la chanson : « Über den Wolken muss die Freiheit wohl grenzenlos sein », tandis que Nina _____ (s'amuser) à faire peur aux autres en parlant de bruits étranges. Elle _____ (promettre) : « En tout cas, chaque avion retourne à terre. » Cette promesse _____ (ne pas calmer) les élèves nerveux, mais au bout d'une heure et demie, l'avion _____ (atterrir) à Cluj en Roumanie.

7. Voyage scolaire en Roumanie – partie II

Ce texte continue le récit du voyage en Roumanie.
Mettez les verbes entre parenthèses au temps correspondant : le passé composé, l'imparfait ou le plus-que-parfait.

Le voyage en Roumanie _____ (prévoir) la visite de différentes villes. La 3D _____ (se considérer) comme chanceuse car l'une des élèves, Roxana, _____ (naître) en Roumanie et _____ (parler) parfaitement la langue locale. Ce _____ (être) elle qui _____ (organiser) les taxis dans les villes et qui _____ (s'informer) à propos des restaurants auprès des réceptionnistes dans les auberges.

Après une première nuit passée à Cluj, la classe _____ (monter) dans un bus pour visiter le château du comte Vlad II Dracul, connu sous le nom de « Dracula ». Pour se protéger de Dracula, la professeur _____ (distribuer) de l'ail avant de partir en Roumanie. Il ne _____ (falloir) donc pas avoir peur d'être mordu.

La cathédrale orthodoxe à Timisoara

Temps et modes : Le temps du passé

Après avoir visité le château, la classe 3D _____ (arriver) à Timisoara, l'une des plus belles villes de Roumanie. La beauté des maisons et des parcs _____ (surprendre) tout le monde. Les élèves _____ (visiter) entre autres la cathédrale orthodoxe impressionnante et le musée de la révolution de 1989 contre le dictateur Ceaușescu.

La classe _____ (avoir) de la chance, car l'auberge _____ (compter) uniquement trois dortoirs et donc la classe _____ (occuper) à elle seule toute l'auberge. Par conséquent, il ne _____ (falloir) pas être très silencieux pour ne pas déranger les autres.

Après une longue journée à Timisoara, tous les élèves _____ (s'asseoir) sur la grande terrasse de l'auberge à laquelle on _____ (pouvoir) accéder depuis l'un des dortoirs. Les élèves _____ (ouvrir) une bouteille de prosecco et _____ (se mettre) à bavarder. Une heure plus tard, les professeurs, qui _____ (se coucher) un peu avant, _____ (pouvoir) entendre les élèves qui _____ (chanter) de vieux tubes (= Oldies) comme *Yellow Submarine* à tue-tête. Toute la classe _____ (être) occupée à chanter lorsque tout à coup, une créature _____ (se présenter) derrière Melis. Cette créature _____ (venir) du jardin. Melis _____ (pousser) un cri de peur et _____ (presque tomber) de la chaise. Le reste de la classe _____ (rigoler) car la créature _____ (être) le gardien de l'auberge qui _____ (vouloir) uniquement demander de baisser le volume du joli chant des élèves.

8. Voyage scolaire en Roumanie – partie III

Voici la continuation du même récit.
Mettez les verbes entre parenthèses au temps correspondant : le passé composé, l'imparfait ou le plus-que-parfait.

Après que le gardien de l'auberge _____ (retourner) dans son bureau, la classe _____ (décider) de continuer la petite fête à l'intérieur.

Pendant que certains élèves _____ (se préparer) pour aller se coucher, d'autres _____ (s'entretenir) encore sur ce qui _____ (arriver) peu avant.

Au bout d'un moment, les filles _____ (se retirer) dans leurs dortoirs et les garçons _____ (retourner) dans le leur. Encore pleins d'énergie et pris d'un peu de folie, des garçons _____ (se lancer) dans une compétition de danse. Chacun _____ (essayer) de montrer son meilleur mouvement, mais Diego _____ (vouloir battre) les autres. Il _____ (s'appuyer) à une étagère et _____ (danser) le « twerk ». Plus ses membres _____ (bouger), plus il _____ (se sentir) euphorique. Au moment de faire LA grande finale, il _____ (poser) ses mains par terre afin de lancer ses pieds en l'air. Quelle élégance, quel talent d'acrobate… jusqu'au moment où son pied gauche _____ (toucher) la fenêtre. Le verre _____ (se briser) en mille morceaux, laissant une mosaïque par terre.

Le grand bruit _____ (réveiller) les élèves qui _____ (dormir) déjà. Par chance, les profs _____ (se trouver) dans des chambres de l'autre côté de l'auberge et _____ (continuer) à dormir tranquillement.

Temps et modes : Le temps du passé

La dernière étape et donc la troisième ville _____ (être) Bucarest, la capitale de la Roumanie. Pour y arriver, ils _____ (devoir) prendre le train de nuit. Les élèves _____ (réserver et acheter) les billets en Suisse. Pour certains élèves, ce _____ (être) la première fois dans un train de nuit, mais ils _____ (aimer bien) cette expérience même si le bruit les _____ (maintenir) réveillés la moitié du voyage.

À Bucarest, la classe _____ (suivre) une visité guidée intéressante à travers la ville et les élèves _____ (pouvoir faire) des interviews avec les habitants.

Ce _____ (être) à Bucarest lors d'une soirée au restaurant que Diego _____ (avouer) à la prof qu'il _____ (casser) une vitre dans l'auberge à Timisoara. Il _____ (rougir) en expliquant qu'il _____ (danser) ce soir-là. En voyant Diego en difficulté d'explication, le reste de la classe _____ (applaudir).

Cluj, Timisoara, Bucarest – un voyage à ne jamais oublier !

L'écriture « Check out Timisoara » en pleine ville

Le futur

1. Formation : le futur simple

Mettez les verbes à la bonne forme.

a. sauter — je _sautais_

b. comprendre — tu _comprendrais_

c. grossir — il _grossait_

d. plaindre — nous _plaindrions_

e. jeter — vous _jetiez_

f. courir — ils _couraient_

g. aller — je _vais_

h. essuyer — tu _essuyais_

i. prétendre — elle _prétendait_

j. souffrir — nous _souffrions_

k. s'afficher — vous _____

l. dire — elles _____

m. apercevoir — je _____

n. vendre — tu _____

o. renvoyer — il _____

p. rentrer — nous _____

q. mourir — vous _____

r. boire — ils _____

s. rejoindre — je _____

t. acheter — tu _____

u. pouvoir — elle _____

v. venir — nous _____

w. conjuguer — vous _____

x. recevoir — elles _____

2. Le futur est (in)certain

Les enfants de six ans ont beaucoup d'idées sur ce qu'ils aimeraient faire lorsqu'ils seront grands. Au jardin d'enfants, les enfants rêvent de leur futur.
Complétez les phrases en choisissant un verbe de la liste ci-dessous.

avoir pouvoir étudier sentir voyager faire devenir guérir (= heilen) voir garder
avoir rester aller essayer travailler être gagner pouvoir se marier naître

Elias : Quand je _____ grand, je _____ pilote.

Anne : Moi, je _____ vivre au Japon parce que j'aime manger avec des baguettes (= Essstäbchen).

Les jumelles
Vivienne et Noëmi : Nous _____ à travers le monde et nous _____ avec des hommes d'un autre pays.

Elias : Mais vous ne vous _____ pas tristes d'habiter loin de la Suisse ?

Les jumelles : Non, nous _____ toujours retourner rendre visite.

Maverik : Moi, à 30 ans, je _____ une belle femme et cinq enfants. Le premier enfant _____ lorsque je _____ 21 ans. Et ma femme _____ à la maison et _____ les enfants.

Sarah : Cinq enfants... !! C'est trop. Je ne veux pas d'enfants. Je _____ une grande carrière. Vous me _____ comme modèle à des défilés de mode... À Paris, à New York et partout.

Samira : Je _____ d'entrer à l'université pour devenir médecin. Ainsi, je _____ l'anatomie et les médicaments et finalement, je _____ dans un hôpital comme mon père. Je _____ des patients qui ont des maladies graves.

Maverik : Et tes frères ?

Samira : Ils _____ leur argent dans une banque ou une entreprise.

Quand l'éducatrice entend la discussion, elle raconte ce que John Lennon, le musicien, avait dit à propos de ce qu'il voulait être :

Quand je suis allé à l'école, ils m'ont demandé ce que je voulais être quand je serais grand. J'ai répondu « heureux ». Ils m'ont dit que je n'avais pas compris la question, j'ai répondu qu'ils n'avaient pas compris la vie.

John Lennon

En plus, l'éducatrice ajoute : Vous _____ faire ce que vous voulez et devenir qui vous désirez, mes enfants. Mais la chose la plus importante est d'être heureux.

3. La météo

Mettez-vous à la place du présentateur et décrivez le temps des prochains jours. Essayez d'employer autant de mots différents que possible et faites usage du futur simple.

voir p. 24

4. Formation : le futur antérieur

Mettez les verbes à la bonne forme.

a. se balader   je   _____
b. apprendre   tu   _____
c. mourir   il   _____
d. peindre   nous _____
e. appeler   vous _____
f. parcourir   ils   _____
g. tomber   je   _____
h. grimper   tu   _____
i. se laver   elle _____
j. revenir   nous _____
k. savoir   vous _____
l. partir   ils   _____
m. sentir   je   _____
n. mettre   tu   _____

5. Seulement lorsque...

Mettez les verbes soit au futur simple soit au futur antérieur.

Michelle se pose beaucoup de questions sur notre monde, la nature et la pollution. Elle décide de joindre Greenpeace pour lutter contre la destruction de notre environnement. Un jour, elle tient un discours dans les rues.

Seulement lorsque l'homme _____ (détruire) toutes les forêts,

il _____ (se plaindre) des avalanches de pierres dont il est la cause.

Seulement lorsque l'homme _____ (tuer) chaque animal,

il _____ (remarquer) qu'il cherche la compagnie de ces créatures.

Seulement lorsque l'homme _____ (polluer) toutes les mers avec

du plastique, il _____ (savoir) que les poissons sont également

remplis de plastique.

Seulement lorsque l'homme _____ (empoisonner = vergiften) la

dernière rivière et le dernier lac, il _____ (ne boire que) de l'eau en

bouteille produite par les usines et en _____ (être) mécontent.

Au moment où il n'y _____ (avoir) plus assez d'eau, les êtres

humains _____ (se rendre) compte qu'ils n'auraient pas dû utiliser

autant d'eau pour l'industrie.

Seulement lorsque le soleil _____ (taper) trop fort et que les

hommes _____ (tomber) malades, ils _____

(connaître) les effets nocifs des avions et des voitures.

Seulement lorsque nos légumes _____ (ne plus avoir) de

vitamines et que l'homme _____ (manquer) d'énergie, on

_____ (comprendre) la vérité cruelle : l'homme ne peut pas vivre

sans la terre qui nous nourrit. Il aurait dû faire attention à elle dans le passé.

Écoutez et réécoutez la chanson de Stress « On n'a qu'une terre » et vous

_____ (apprendre) peut-être quelque chose.

6. Une jeune femme très politique

Conjuguez dans le texte ci-joint les verbes au futur simple ou futur antérieur (4x).

Nina est une jeune femme politique. Engagée et idéaliste, son but est d'améliorer la situation culturelle et sociale. Pour ceci, elle combat les grandes entreprises qui profitent des personnes moins favorisées.

C'est dimanche, Nina se prépare pour commencer une lutte contre l'entreprise NESIOO[1] à partir de lundi. Elle réfléchit aux actions qu'elle _____ (faire) à partir du jour suivant :

« Premièrement, je _____ (aller) à la Place fédérale (= Bundesplatz) demain après-midi et je _____ (parler) de NESIOO et de sa stratégie commerciale avec l'eau.

Auparavant, tôt le matin, je _____ (dessiner) des affiches et je _____ (écrire) des citations extraites des publications de NESIOO.

L'après-midi, sur la Place fédérale, je _____ (citer) ce que NESIOO a dit : « L'eau n'est pas un droit humain. » NESIOO a tort.

Je _____ (essayer) d'expliquer aux gens que NESIOO _____ (ne pas changer) si on ne critique pas cette entreprise en public. J'espère que les personnes qui _____ (m'écouter) _____ (signer) ma pétition. Je _____ (répéter) encore et encore les citations de NESIOO.

Mon ami politique, Martin, _____ (m'apporter) la pétition qu'il _____ (préparer) à la dernière minute avant de venir sur la Place fédérale.

[1] Il s'agit ici d'une entreprise fictive.

Il _____ (falloir) avoir au moins 10 000 signatures. Ainsi, je _____ (pouvoir) les montrer à NESIOO et leur dire : « Vous _____ (devoir) changer prochainement. Les Suisses ne veulent plus de votre corruption et de votre manière d'exploiter les ressources de base. Les Suisses _____ (arrêter) d'acheter votre eau. Le jour _____ (venir) où NESIOO _____ (perdre) tout le soutien et _____ (avoir) peur que son action (= Aktien) perde sa valeur. »

Si, un jour, NESIOO change de mentalité, je _____ (faire bien) mon travail.

L'impératif

1. Formation : l'impératif

Mettez les verbes à la bonne forme.

a. TU disparaître — disparais ✓

b. VOUS sauter — sautez ✓

c. TU se calmer — calme-toi ✓

d. NOUS lire — lisons ✓

e. VOUS se lever —

f. TU crier —

g. VOUS maigrir —

h. TU aller —

i. VOUS savoir —

j. TU y aller —

k. VOUS avoir —

l. VOUS se taire — taisez-vous

m. NOUS se maquiller —

n. TU sortir —

o. VOUS vouloir —

p. NOUS écouter —

q. TU sentir —

r. TU dire —

voir p. 28 et 29

Temps et modes : L'impératif

2. L'impératif négatif

Ajoutez « ne... pas » en formant un impératif négatif.

voir p. 28 et 29

a. Chante une chanson.   Ne chante pas une chanson
b. Cuisinez la viande.   Ne cuisinez pas la viande
c. Sortons.   Ne sortons pas
d. Donne-le.   Ne le donne pas
e. Montrez-les.   Ne les montrez pas
f. Cachez-vous.   Ne vous cachez pas
g. Retourne-toi.   Ne te retourne pas
h. Montrez-les-leur.   _____
i. Salue-les.   _____
j. Lavez-vous.   _____
k. Couchons-nous.   _____
l. Indique-la-lui.   Ne

3. Histoires Disney

A. *Cendrillon* (= *Cinderella*)

Les demi-sœurs et la belle-mère exigent que Cendrillon fasse tout ceci : Mettez les verbes à la bonne forme.

Cendrillon, __nettoye__ (nettoyer) nos chambres. Ensuite, __donne__ (donner) à manger aux animaux. __Va__ (aller) au magasin et __achete__ (acheter) tout ce qui est écrit sur cette liste. Après, __fait__ (faire) un bon dessert pour ce soir et __range__ (ranger) toute la vaisselle. __lave__ (laver) le sol par la suite. Ensuite, __finit__ (finir) les devoirs que tes demi-sœurs ne veulent pas faire. Et Cendrillon, __court__ (courir), __dépêche-toi__ (se dépêcher) et __ne traîne pas__ (ne pas traîner).

B. *Les 101 dalmatiens*

Roger, Anita et les chiens donnent des conseils à Cruella d'Enfer qui doit aller en prison car elle a voulu faire un manteau avec la peau des chiens.

Madame d'Enfer, _____ (réfléchir) à ce que vous avez fait et _____ (essayer) de vous améliorer. _____ (se mettre) dans la peau des autres personnes et _____ (imaginer) comment les autres se sentent. _____ (regretter) vos actes et _____ (faire) mieux dans le futur.

Temps et modes : L'impératif

C. *Blanche-Neige et les sept nains*

Les sept nains ne se comportent pas toujours de manière éduquée et gentille. Blanche-Neige essaie de leur enseigner les bonnes manières.
Mettez les verbes à la bonne forme.

Mes amis, _____ (se laver) le matin avant de sortir. Atchoum et Dormeur, _____ (mettre) la main devant la bouche si vous éternuez (= niesen) ou si vous bâillez (= gähnen). Doc, _____ (ne pas être) trop sévère avec les autres six et _____ (avoir) un peu de patience. Et Grincheux, _____ (sourire) de temps en temps. Joyeux _____ (aider) Grincheux à être un peu plus joyeux.

Simplet et Timide, _____ (préparer) les légumes ou une salade le soir car il faut que vous en mangiez.

Voici encore quelques règles pour tous : À table, _____ (ne pas manger) avec la bouche ouverte, _____ (couper) la viande en petits morceaux et _____ (ne pas remplir) trop votre plat.

Doc = Prof = Chef	
Bashful = Timide = Pimpel	
Sneezy = Atchoum = Hatschi	
Happy = Joyeux = Happy	
Dopey = Simplet = Seppl	
Sleepy = Dormeur = Schlafmütze	
Grumpy = Grincheux = Brummbär	

Les sept nains de *Blanche-Neige*

4. Une recette française typique : les galettes

Transformez les verbes à l'infinitif en mettant un impératif.
Mettez-les d'abord à la forme « TU » et ensuite à la forme « VOUS » de l'impératif.

Dans un bol, *mélanger* la farine et le gros sel.
À l'aide d'un fouet (= Schneebesen), *verser* l'eau en deux ou trois fois.
Remuer le tout. On obtient une pâte lisse et épaisse.
Ajouter un œuf.
Laisser reposer 1 à 2 heures au réfrigérateur.
Faire fondre un peu de beurre dans la poêle (= Bratpfanne).
Verser un peu de pâte et *la répandre* dans la poêle.
Attendre que la galette colore (= braun werden), ensuite *retourner* la galette.
Cuire la galette encore 1 minute.
Beurrer les deux côtés de la galette généreusement.
Mettre du jambon sur la galette.
Casser un œuf au centre de la galette.
Une fois que l'œuf commence à cuire, *le saler* et *poivrer*.
Rabattre les bords de la galette pour laisser voir uniquement le jaune de l'œuf.
La galette est prête une fois que l'œuf est assez cuit.
Bon appétit !

Ingrédients :
330 g de farine de blé noir
10 g de gros sel
75 cl d'eau froide
1 œuf
peu de beurre
du jambon
de l'emmental râpé
1 œuf

Impératif : TU

Impératif : VOUS

Le conditionnel

1. Formation : le conditionnel présent

Mettez les verbes à la bonne forme.

a. se moquer   je _____
b. fondre   tu _____
c. mourir   il _____
d. éplucher   nous _____
e. guérir   vous _____
f. refroidir   ils _____
g. décevoir   je _____
h. recevoir   tu _____
i. se lever   elle _____
j. élargir   nous _____
k. ordonner   vous _____
l. sécher   elles _____
m. pouvoir   je _____
n. revoir   tu _____
o. pleuvoir   il _____
p. créer   nous _____
q. mettre   vous _____
r. descendre   ils _____
s. creuser   je _____
t. enivrer   tu _____

voir p. 30

2. La politesse

Cherchez une formulation plus polie en utilisant le conditionnel présent. Plusieurs variantes sont possibles. Combien en trouvez-vous ? Vous pouvez, si vous désirez, également changer le verbe.

a. Je veux voir les étoiles.

b. Donnez-moi mon billet.

c. Pouvez-vous me donner un coup de main ?

d. Tu dois travailler plus.

e. Avez-vous la gentillesse de me dire l'heure ?

f. Ils peuvent nous aider plus !

g. Il aime partir le weekend.

h. Je souhaite avoir plus de temps libre.

i. Il vaut mieux ne pas manger trop tard le soir.

3. Il faut savoir rêver

Rêvez un peu d'un monde idéal.
Complétez les phrases avec un conditionnel présent en choisissant un verbe de la liste ci-dessous.

| commencer   exister   travailler   coûter   avoir   payer   être   comprendre |
| souffrir   faire   profiter |

a. Personne ne _____ une guerre.

b. Tous _____ acceptés comme ils sont.

c. On ne _____ que trente heures par semaine.

d. Les politiciens _____ l'importance de la protection de la nature.

e. Les hôpitaux ne _____ rien.

   L'État _____ tout.

f. La haine et la jalousie ne _____ nulle part.

g. Personne ne _____ de faim.

h. Tout le monde _____ accès à l'éducation.

i. Les entreprises _____ attention à la durabilité

   (= Nachhaltigkeit).

j. On _____ de beaucoup de temps libre.

4. Une vie sans nouvelles technologies

Remplacez les verbes au présent par des verbes au conditionnel présent.

Parfois je me pose les questions suivantes : Comment _____ (est) la vie sans nouvelles technologies ? Que _____ (se passe-t-il) si tous les ordinateurs, les téléphones portables et internet ne fonctionnent plus ?
Je me l'imagine ainsi :
Les personnes _____ (marchent) dans les rues et _____ (regardent) ce qui les entoure avec grande attention. Ils _____ (apprécient) les fleurs, les beaux bâtiments et un visage sympathique qui les _____ (croise).
Personnellement, je ne _____ (suis) plus joignable à tout moment.
Personne ne _____ (peut) me contacter à chaque instant. Il _____ (faut) de nouveau envoyer des lettres ou aller voir les autres personnes.
Dans le train ou dans le bus, on _____ (parle) avec la personne assise à côté au lieu de regarder un petit écran. On _____ (profite) d'un court voyage en train pour se reposer et se relaxer sans répondre à des mails ou des SMS. Tout _____ (paraît) moins stressant.
Certes, on _____ (doit) emmener un appareil photo lourd afin de prendre des photos, ce qui _____ (est) moins pratique qu'avec le smartphone. Par ailleurs, on _____ (se souvient) mieux des numéros de téléphone et des adresses car nos cerveaux _____ (s'entraînent) régulièrement.

Sans Facebook, Instagram ou Snapchat, on _____ (garde) moins le contact avec les personnes qui habitent loin, mais on en _____ (a) plus avec ceux qui sont proches. Sans aucun doute, Facebook, Instagram ou Snapchat sont de bons passe-temps qui amusent, mais sans ces applications je _____ (fais) des choses peut-être plus intéressantes et je _____ (découvre) d'autres activités. Je _____ (lis) des journaux imprimés sur papier – comme au bon vieux temps…

Concernant les livres, on _____ (continue) à alimenter et compléter les bibliothèques car les livres numériques (= e-books) ne _____ (fonctionnent) pas non plus.

Et même à l'école, les élèves _____ (sont) forcés de prendre des notes à la main ou de recopier ce que le prof a écrit au tableau noir et ils n'en _____ (prennent) pas une photo.

5. Des conseils

Choisissez deux lettres écrites au Dr Sommer. Essayez de donner des conseils et de proposer des solutions aux problèmes. Répondez également avec une petite lettre en faisant usage du conditionnel.

voir p. 30

Dans mon école, il y a une fille qui me plaît beaucoup. Mais malheureusement, je suis très timide et je ne sais pas comment entrer en contact. Qu'est-ce que je pourrais faire ?

Antoine

Bonjour Dr Sommer !
J'ai 16 ans et j'ai un petit ami pour la première fois. Mes parents trouvent que je suis trop jeune. Comment est-ce que je peux les convaincre ? Comment est-ce que mes parents peuvent accepter mon petit ami ?
Anne-Sophie

Cher Dr Sommer
Je suis désespérée, car je suis tombée enceinte et je ne sais pas quoi faire. Personne ne le sait et je n'ose le dire ni à mon petit ami ni à mes parents.
Clarisse

Nous avons 14 ans et nous nous sommes embrassés à l'école pendant la récréation. Un professeur nous a séparés et nous a grondés. Est-ce que nous n'avons pas le droit de nous embrasser ? Comment est-ce que nous pouvons réagir ? Et comment est-ce que nous devons nous comporter ?

Louise et Baptiste

6. Formation : le conditionnel passé

Mettez les verbes à la bonne forme.

a. se placer   je   _____
b. exclure   tu   _____
c. vivre   elle   _____
d. masquer   vous   _____
e. reproduire   tu   _____
f. commettre   il   _____
g. partir   nous   _____
h. brûler   ils   _____
i. mâcher   elles   _____
j. inspirer   je   _____
k. récapituler   tu   _____
l. tenir   il   _____
m. combattre   nous   _____
n. se maquiller   je   _____
o. garnir   vous   _____
p. défendre   il   _____
q. chauffer   nous   _____
r. naître   vous   _____

7. Le « Konjunktiv » allemand

Traduisez les phrases suivantes et faites usage du conditionnel présent ou passé.

a. Mit mehr Training hätte Jonathan das Turnier gewonnen.

b. Ohne Haustier wären viele Leute einsamer.

c. Mit Internet würde ich jetzt einige WhatsApp (= message WhatsApp) schreiben.

d. Ohne Hausaufgaben würde man weniger lernen.

e. Ich wäre verloren ohne mein Handy.

f. Ich würde gerne mehr lesen, aber ich habe zu wenig Zeit.

g. Mit einem Abonnement müsste Tim nicht am Schalter anstehen.

h. Das Wetter für die Feier wäre schöner im August.

Temps et modes : Le conditionnel

i. Für seine Familie würde er bis ans Ende der Welt reisen.

_____

_____

j. Man sollte (falloir) sich öfter sehen.

_____

_____

La phrase hypothétique

1. Le conditionnel – la phrase hypothétique

Formulez trois phrases réelles, trois phrases possibles et trois phrases impossibles avec les mots donnés. Plusieurs variantes sont possibles.

a. Réel : le temps ; voyager

b. Réel : avoir sommeil ; aller se coucher

c. Réel : inviter des amis à dîner ; faire un menu à quatre plats (= Gänge)

d. Possible : s'entraîner plus ; jouer plus de matchs

e. Possible : avoir mal au dos ; faire plus de sport

f. Possible : être stressé ; prendre un bain

g. Impossible : ne pas casser la jambe ; aller skier

h. Impossible : ne pas être en retard ; encore attraper l'avion

i. Impossible : se tromper de direction ; ne pas arriver avant minuit

2. Le conditionnel – la phrase hypothétique II

Complétez les phrases avec une phrase hypothétique. Soyez créatifs.

a. Si j'avais 3 millions de francs, _____

b. Si je pouvais voyager dans le temps, _____

c. Si j'étais le président des États-Unis, _____

d. Si j'étais invisible, _____

e. Si j'étais un homme / une femme, _____

f. Si je pouvais changer quelque chose sur terre, _____

g. Si je possédais des pouvoirs magiques, _____

h. Si je pouvais être une autre personne, _____

3. Le conditionnel – la phrase hypothétique III

Remplissez les lacunes.
Il y a des phrases hypothétiques réelles, possibles, impossibles et mélangées.
Faites attention à l'indication du temps.
Parfois plusieurs solutions sont correctes. Essayez d'écrire autant de variantes que possible.

a. Si tu _____ (être) plus âgé, tu _____ (voir) le danger de l'internet autrement.

b. Si René _____ (rater) son examen, il _____ (ne pas pouvoir faire) des études universitaires.

c. Si on _____ (savoir) plusieurs langues, on _____ (trouver) un travail.

d. Si Sandrine _____ (aller) en France, elle vous _____ (envoyer) une carte postale.

e. Claudine a dit que si elle _____ (se marier) un jour, elle _____ (inviter) 500 personnes.

f. Si je _____ (travailler) plus l'été dernier, je _____ (avoir) plus d'argent maintenant.

g. Si elle _____ (ne pas aimer) les animaux, elle _____ (ne pas travailler) chez un vétérinaire.

h. Pierre _____ (acheter) un bateau s'il _____ (gagner) au loto la semaine passée.

i. Martine _____ (ne pas fréquenter) le théâtre, si elle _____ (ne pas admirer) les acteurs et les chanteurs.

voir p. 33 ou p. 85

4. Le conditionnel – la phrase hypothétique IV

**Unissez les deux phrases pour en faire une seule phrase hypothétique.
Faites attention au moment (présent, passé) auquel se réfère la phrase.
Parfois plusieurs solutions sont possibles. Si nécessaire, ajoutez même une négation.**

a. Tu n'arrêtes pas de fumer. / Je le dis à tes parents.

b. Roger déteste les voitures rapides. / Il a une Porsche.

c. Sandra cuisine une fondue. / Jean vient volontiers dîner.

d. Gisèle a appris à nager. / Elle traverse le Rhin à la nage.

e. Il avait mauvaise conscience. / Il a rendu l'argent volé.

f. Je t'aide toujours. / Tu n'apprends rien.

g. Pauline n'a pas de temps. / Elle écrit moins souvent.

h. Nadia avait mal à la tête. / Elle a dû prendre un comprimé.

Temps et modes : La phrase hypothétique

i. J'ai gagné 1000 euros. / J'ai acheté une télévision énorme.

_____

_____

j. Je suis rentré chez moi en métro. / J'ai mis une heure.

_____

_____

Le subjonctif

1. Formation : le subjonctif présent

Mettez les verbes à la bonne forme.

a. manger — je _____
b. pouvoir — tu _____
c. venir — il _____
d. partir — nous _____
e. finir — vous _____
f. prendre — ils _____
g. mettre — je _____
h. sourire — tu _____
i. être — elle _____
j. avoir — nous _____
k. boire — vous _____
l. jeter — elles _____
m. attendre — je _____
n. aller — tu _____
o. recevoir — il _____
p. sauter — nous _____
q. ouvrir — vous _____
r. grossir — ils _____
s. écrire — je _____
t. chuchoter — tu _____
u. dormir — elle _____
v. vendre — nous _____
w. dire — vous _____
x. acheter — elles _____

2. L'usage du subjonctif

A. Usages a–d

Verbes de sentiment ; verbes de volonté ; verbes de balance ; expressions impersonnelles : insérez les verbes soit au subjonctif, soit à l'indicatif.

a. J'exige que vous _____ (apprendre) votre leçon.

b. Je pense que ce _____ (être) le moment d'agir.

c. Je ne crois pas que ce _____ (être) la bonne solution.

d. Ses parents interdisent qu'elle _____ (sortir) ce soir.

e. Je veux que vous _____ (faire) un effort pour ne plus vous disputer.

f. Je m'étonne que vous _____ (être) déjà à la maison !

g. Il est nécessaire que vous _____ (entendre) ce qu'il a à dire.

h. Le professeur dit que cette année _____ (pouvoir) être décisive pour moi.

i. Il est inacceptable qu'on _____ (pouvoir) faire une telle erreur.

j. Je sais que je _____ (pouvoir) loger chez mon amie. Elle me l'a dit.

k. J'ai peur que tous les élèves _____ (être) punis !

l. Il est important que nous _____ (arriver) deux heures avant l'embarquement.

m. Crois-tu qu'un tatouage me _____ (aller) bien ? Ou est-ce que tu penses que ce _____ (être) une mauvaise idée ?

n. Il faut que les enfants _____ (manger) assez de légumes.

o. Pascale trouve que la télé _____ (être) inutile.

p. Nous espérons qu'il _____ (faire) beau temps samedi.

q. Ma mère est en colère que le chien _____ (ne rien apprendre).

r. Les élèves se réjouissent que les vacances _____ (approcher) rapidement.

s. Il est évident que le président des États-Unis _____ (avoir) plus de pouvoir que le président de la France.

t. Linda craint que les billets pour le concert de ZAZ _____ (être) épuisés.

u. Il est nécessaire que le chef _____ (savoir) donner des ordres clairs, sinon les employés sont énervés.

v. Nous sentons que Marlise _____ (ne pas aller) bien.

w. Il semble que Julia _____ (vouloir) quitter son copain.

x. Je trouve drôle que vous _____ (suivre) des chaînes sur YouTube pour apprendre à vous maquiller.

y. Céline souhaite fortement que Frédéric _____ (la inviter) à la fête du lycée.

B. Usages e–g

Phrase relative exprimant un désir ; superlatif ; conjonctions : insérez les verbes soit au subjonctif, soit à l'indicatif.

a. Tu peux regarder la télévision à condition que tu _____ (choisir) un bon film.

b. Notre famille cherche un chien qui _____ (ne pas dormir) toute la journée, mais qui _____ (être) aussi actif que nous.

c. Nous fêterons, pourvu qu'il _____ (obtenir) son diplôme !

d. Madeleine veut aller voir les feux d'artifice puisque ce _____ (être) la fête nationale suisse.

e. Quand tu _____ (finir) tes devoirs, tu pourras jouer.

f. Les Suisses voudraient des politiciens qui _____ (avoir) une grande largeur d'esprit.

Temps et modes : Le subjonctif

g. Il est allé en Angleterre, après qu'il _____ (finir) son stage.

h. Michael Jackson est le plus grand chanteur que je _____ (connaître).

i. Afin que nous _____ (pouvoir) rentrer plus vite, je vous propose de prendre l'autoroute.

j. Raphaël est généreux, quoiqu'il _____ (être) économe.

k. Pendant qu'il _____ (travailler), on ne peut pas l'appeler au téléphone portable.

l. J'attendrai jusqu'à ce que tu _____ (partir).

m. Nous sortons dès que nous _____ (entendre) la sonnerie.

n. Avant que nous _____ (finir) ce travail, j'ai besoin d'un café fort pour me réveiller.

o. Ce sont les criminels les plus méchants des films de Disney qui _____ (exister).

p. Puisque tu ne _____ (avoir) rien à me dire, tu peux partir.

q. Il est entré sans que les invités le _____ (voir).

r. Je cherche un travail qui _____ (me plaire).

s. En admettant qu'il n'y _____ (parvenir) pas, l'aiderez-vous ?

t. Je ne veux pas sortir, parce que je _____ (avoir) peur.

3. Le subjonctif présent – un peu de tout

Conjuguez les verbes soit au subjonctif présent soit à l'indicatif (présent ou futur).

a. Je suis d'accord pour que vous _____ (venir) habiter chez nous pour quelques jours.

b. J'espère que vous _____ (dire) la vérité.

c. Il vaut mieux que tu _____ (être) un peu plus vigilant.

d. Je doute qu'il y _____ (avoir) d'autres êtres vivants dans l'univers !

e. Il suffit que tu me _____ (envoyer) un message pour confirmer ton arrivée.

f. Il se peut que les trains _____ (avoir) du retard.

g. Nous attendons qu'il nous _____ (rejoindre) au bar.

h. Je trouve anormal qu'il _____ (répondre) comme ça à sa mère.

i. Elle a honte que ses fils _____ (être) aussi insolents.

j. Il ne me semble pas que ce _____ (être) le meilleur candidat possible.

k. J'estime (ich schätze) qu'il _____ (avoir) droit à notre aide.

l. Je doute que vous _____ (comprendre) la situation.

m. À supposer que tu _____ (venir), qu'est-ce que ça change ?

n. C'est le meilleur avocat que je _____ (pouvoir) te conseiller.

o. Je n'ai trouvé personne qui _____ (connaître) la réponse.

p. Crois-tu que je _____ (devoir) lui avouer que je l'aime bien ?

q. Est-ce que tu penses qu'il ne _____ (se sentir) jamais content ?

r. Le mieux que vous _____ (pouvoir) faire est de le laisser tranquille.

s. Je ne crois pas qu'ils _____ (vouloir) te dire la vérité.

t. Faut-il que vous _____ (aller) l'ennuyer toutes les cinq minutes ?

u. J'espère qu'il _____ (savoir) qui vous êtes, rien qu'en vous voyant.

Temps et modes : Le subjonctif

4. Formation : le subjonctif passé

Mettez les verbes à la bonne forme.

a. afficher   je   _____

b. disparaître   tu   _____

c. falloir   il   _____

d. se coucher   nous   _____

e. conduire   vous   _____

f. mourir   ils   _____

g. fondre   je   _____

h. colorer   tu   _____

i. défendre   elle   _____

j. admettre   nous   _____

k. traduire   vous   _____

l. se promener   elles   _____

m. s'ouvrir   je   _____

n. tomber   tu   _____

o. dessiner   il   _____

p. savoir   nous   _____

q. retourner   vous   _____

r. franchir   ils   _____

voir p. 38

5. Le subjonctif passé

Conjuguez les verbes au subjonctif passé.

a. Il est très content que je _____ (corriger) ses erreurs d'orthographe.

b. C'est drôle qu'ils _____ (dire) cela…

c. C'est bien que vous _____ (penser) à téléphoner avant d'arriver.

d. Marie, c'est bête que tu _____ (ne pas aller) voir ce film au cinéma. Il est magnifique.

e. C'est bizarre qu'il _____ (ne pas répondre) à mon message.

f. Je suis très content que vous _____ (trouver) un appartement en pleine ville.

g. Je regrette qu'elle _____ (ne pas avoir) un peu plus de temps pour se divertir.

h. Les filles, ça me fait plaisir que vous _____ (passer) me voir !

i. Dommage que tu _____ (perdre) tes clés.

j. Cela m'ennuie que vous _____ (pouvoir) penser une chose pareille.

k. Cela m'énerve que les gens _____ (croire) cette histoire inventée !

l. C'est dommage qu'ils _____ (ne pas venir) dîner hier soir.

m. C'est bête qu'elle _____ (ne pas savoir) répondre à toutes les questions de l'examen. Elle doit avoir eu une sorte de black-out.

n. C'est bien qu'elle _____ (venir) voter.

o. Il ne doute pas que nous _____ (prendre) le train au lieu de prendre l'avion.

6. Le subjonctif et les conjonctions I

Terminez les phrases et insérez le verbe au subjonctif (présent ou passé) ou à l'indicatif. Essayez de ne pas trop regarder les boîtes avec les conjonctions.

Indicatif :	
parce que	= weil
puisque	= weil ; da ja
depuis que	= seit
dès que	= sobald
aussitôt que	= sobald
quand	= wenn ; als
même si	= auch wenn ; selbst wenn
après que	= nachdem
alors que	= als (temporel)
	= obwohl (opposition)
de sorte que	= so dass ; sodass
pendant que	= während ; solange

Subjonctif :	
pour que	= damit
afin que	= damit
de sorte que	= damit
sans que	= ohne dass
en attendant que	= solange, bis
jusqu'à ce que	= bis
à condition que	= vorausgesetzt, dass
	= falls (condition)
bien que	= obwohl ; obgleich
malgré que	= obwohl ; obgleich
quoique	= obwohl ; obgleich
avant que	= bevor
à supposer que	= angenommen, dass

a. Madame Portet trouve que son mari fait des dépenses inutiles. Il s'achète toujours le nouvel iPhone bien que _____

_____

b. Trois pièces pour cinq personnes, ce n'est vraiment pas beaucoup. Nous déménagerons dès que _____

_____

c. Figure-toi, les Charlier sont venus à notre fête sans que nous _____

_____

d. Est-ce que tu vas skier avec tes amis ce week-end ? – Non, je ne fais plus de ski depuis que _____

e. Vite, dépêchons-nous ! J'aimerais arriver à la maison avant que _____

_____

f. Notre prof de maths nous a dit qu'il nous ferait répéter le sinus et le cosinus jusqu'à ce que nous _____

g. Ne t'inquiète pas, je te donne mon numéro de téléphone pour que _____

h. Comment ? Il y a des personnes qui font un voyage sans argent ? – Oui, pendant qu'ils _____

i. Claire ne se couche jamais de bonne heure quoique _____

j. Les Caubet ont vendu leur grande maison après que leurs enfants _____

k. Je te raconterai un secret à condition que _____

l. Nous t'écrirons un texto (= SMS) aussitôt que _____

7. Général Guisan – le subjonctif et les conjonctions II

Reliez les deux phrases en utilisant la bonne conjonction indiquée entre parenthèses. Modifiez les verbes si nécessaire.

a. Il y a beaucoup de rues en Suisse qui portent le nom « General-Guisan-Strasse ». Le Général Guisan était une personne importante pendant la Seconde Guerre mondiale. (da ja, weil = ~~parce que~~)

b. Il devait être une personne extrêmement importante. On a créé un « General-Guisan-Quai » à Zurich et des « General-Guisan-Strasse » à Bâle, à Winterthour, à Zoug et dans d'autres villes. (damit)

c. Ce nom est souvent nommé. Vous savez peut-être ce qu'il a fait. (ohne dass)

d. Le Général Guisan a créé le « Réduit national », une stratégie pour protéger le pays. La Suisse pourrait être attaquée par les Allemands. (aus Angst, dass)

e. Aujourd'hui encore ce nom est honoré en Suisse. On sait maintenant que la Suisse n'aurait pas pu être sauvée grâce à Guisan et son « Réduit ». (auch wenn, selbst wenn)

Le général Guisan sur son cheval

f. Selon mon grand-père, le « Réduit » n'aurait pas fonctionné à la frontière et les soldats seraient tous rentrés dans leurs familles au lieu de se retirer vers les Alpes. Les soldats allemands auraient passé la frontière. (sobald)

g. Le Général Guisan restera une personnalité historique importante pour avoir soutenu moralement les soldats et pour avoir été aimé et respecté partout. Son stratagème n'a pas été la seule raison pour laquelle la Suisse s'est relativement bien sortie de la guerre. (obwohl)

h. Ce général a réussi à unir les Suisses alémaniques et les Suisses romands. Les Suisses avaient remarqué que cet homme s'exprimait couramment en français et en suisse allemand. (nachdem)

8. Le subjonctif présent et passé ou l'indicatif ? – un peu de tout !

Mettez le verbe entre parenthèses à la bonne forme.
Si possible, mettez le subjonctif présent et le subjonctif passé.

voir p. 34 à 39

a. Je doute que vous _____ (comprendre) la situation.
b. Il trouve sympathique que Pierre _____ (venir) aider.
c. J'exige que vous _____ (apprendre) votre leçon.
d. Il est inacceptable qu'on _____ (pouvoir) faire une telle erreur.
e. Je regrette qu'elle _____ (ne pas avoir) un peu plus de temps libre.
f. J'attendrai jusqu'à ce que tu _____ (partir).
g. Je pense que ce _____ (être) le moment d'agir.
h. Je ne pense pas que ce _____ (être) la bonne solution.
i. C'est bête qu'elle _____ (ne pas savoir) répondre.
j. J'espère qu'il _____ (savoir) qui vous êtes, rien qu'en vous voyant.
k. Faut-il que vous _____ (aller) l'ennuyer toutes les cinq minutes ?
l. Est-ce que tu penses qu'il _____ (ne jamais être) content ?
m. Elle a honte que ses fils _____ (être) aussi bruyants.
n. Je crois que vous _____ (dire) la vérité.
o. J'ai peur que tous les élèves _____ (être) punis !
p. Je sais que je _____ (pouvoir) faire mieux.
q. Il est nécessaire que vous _____ (entendre) ce qu'il a à dire.
r. Il trouve que Jeanne _____ (devoir) se reposer.
s. Je suis sûre que Sandra _____ (être) malade.
t. Il est inacceptable que tu _____ (se faire) passer pour quelqu'un d'autre.

9. Un voyage à Cuba

Mettez le verbe entre parenthèses à la bonne forme.
Si c'est indiqué « passé », vous devez mettre le verbe soit au subjonctif passé soit au passé composé.

Avant de partir en vacances, ma copine veut que je _____ (lire) le Lonely Planet de Cuba car elle aimerait bien que je _____ (connaître) toutes les particularités du pays. D'ailleurs, elle pense que je _____ (écrire) une liste de choses à faire.

Il est intéressant que les Cubains _____ (ne pas être) contents de leur système politique, mais je ne crois pas qu'il y _____ (avoir) trop d'injustices dans un État socialiste. Je trouve génial que Che Guevara et Fidel Castro _____ (suivre – passé !) l'idéologie de Karl Marx, mais je trouve que les idées _____ (changer – passé !) beaucoup. Ce ne sont plus les mêmes idées, car Castro _____ (détourner – passé !) la politique pour en profiter.

Lorsque nous serons à Cuba, il faudra que nous _____ (demander) aux gens ce qu'ils pensent réellement du communisme. Trouvent-ils que ce système _____ (pouvoir) fonctionner ? Je crains que cela _____ (ne pas être) le cas. Les paysans sont certainement fâchés que l'État _____ (recevoir) 90% de leur production. J'espère que cela _____ (changer) bientôt. Je trouve qu'il _____ (falloir) un changement politique.

10. Les examens de maturité approchent vite...

Quatre élèves discutent des examens de maturité qui approchent. Certains ont un peu peur, d'autres sont plus confiants.
Mettez les verbes à la bonne forme. Choisissez entre le subjonctif (présent et passé) et l'indicatif (présent ou futur).

Jasmin : Dans deux mois, nous _____ (écrire) les examens de maturité. J'espère qu'ils ne _____ (être) pas trop durs.

Laura : J'ai surtout peur qu'ils nous _____ (sembler) très, très, très longs. Quatre heures, c'est énorme. Ce sont les examens les plus longs que je _____ (connaître).

Janic : Je suis sûr que le temps _____ (filer) pendant les examens écrits. Je crains plutôt que les examens oraux, qui durent seulement 15 minutes, _____ (devenir) une éternité si je ne _____ (savoir) pas quoi dire...
Imaginez que le prof vous _____ (poser) une question et que vous ne _____ (savoir) pas quoi répondre. Je souhaite fortement qu'il n'y _____ (avoir) pas de moments de silence embarrassants.
Croyez-vous que les profs _____ (finir) par poser surtout des questions difficiles ? Ou est-ce que vous pensez qu'ils _____ (poser) également des questions faciles ?

Corina : Moi, je ne pense pas que les professeurs _____ (être) trop méchants car ils veulent aussi que nous _____ (passer) les examens.

Jasmin : Oui, mais chaque année il y a quelqu'un qui _____ (rater) les examens et j'ai peur que quelqu'un de notre classe _____ (pouvoir) les rater cette année-ci.

Janic : Tu es trop pessimiste. Je crois que tous _____ (réussir). La seule chose qui me pèse est la lecture de tous les livres. Je trouve énervant qu'on _____ (devoir) lire autant.

Laura : J'aime bien que nous _____ (avoir) la possibilité de choisir les livres qui nous _____ (plaire). Mais il faut absolument que je _____ (se mettre) à lire. J'ai encore cinq livres à lire.

Jasmin : Tu rigoles ! Il faut que je _____ (en lire) encore huit. Est-ce que vous croyez que le résumé des livres _____ (suffire = genügen) ?

Laura : Il est possible que les profs _____ (s'en rendre) compte. Et alors, tu _____ (avoir) de gros problèmes.

Janic : Je souhaiterais que le tout _____ (terminer déjà). Liberté ! Vacances ! Plage !

Corina : Moi aussi, je voudrais que juillet _____ (arriver déjà).
Oh ! Mais il faut qu'on _____ (reprendre) le travail qu'on _____ (devoir) préparer pour demain.

Tous les temps et tous les modes

1. Formation I

Complétez le schéma avec le verbe correspondant.

Présent : acheter   Je   _____
Imparfait : grandir   Tu   _____
Passé composé : ouvrir   Elle   _____
Plus-que-parfait : lire   Nous   _____
Futur simple : aller   Vous   _____
Futur antérieur : sortir   Ils   _____
                                     Ils   _____

Conditionnel : chanter   Je   _____
Conditionnel passé : avoir   Tu   _____
Présent : domestiquer   Il   _____
Imparfait : dégrossir   Nous   _____
Passé composé : vouloir   Vous   _____
Plus-que-parfait : réfléchir   Elles   _____
Futur simple : jeter   Je   _____
Futur antérieur : exagérer   Tu   _____
Conditionnel : être   Elle   _____
Conditionnel passé : connaître   Nous   _____
Présent : grandir   Vous   _____
Imparfait : donner   Ils   _____
Passé composé : apprendre   Je   _____
Plus-que-parfait : mourir   Tu   _____
Futur simple : partir   Il   _____
Futur antérieur : descendre   Nous   _____
                                     Nous   _____

Conditionnel : voir   Vous   _____
Conditionnel passé : chanter   Elles   _____

voir p. 10 à 39

2. Formation II

Complétez le schéma avec le verbe correspondant.

Présent : appeler	Je	_____
Imparfait : définir	Tu	_____
Passé composé : parcourir	Elle	_____
Plus-que-parfait : lire	Nous	_____
Futur simple : revenir	Vous	_____
Futur antérieur : se libérer	Ils	_____
Conditionnel : gaspiller	Je	_____
Conditionnel passé : cueillir	Tu	_____
Impératif : manipuler	(Tu)	_____
Impératif : dire	(Tu)	_____
Présent : barrer	Nous	_____
Imparfait : défendre	Vous	_____
Passé composé : démarrer	Elles	_____
Plus-que-parfait : réfléchir	Je	_____
Futur simple : lancer	Tu	_____
Futur antérieur : devenir	Elle	_____
Conditionnel : se présenter	Nous	_____
Conditionnel passé : savonner	Elles	_____
Impératif : faire	(Vous)	_____
Impératif : salir	(Vous)	_____

voir p. 10 à 39

Substantifs et articles

L'article

1. Des objets presque uniques – l'article indéfini

Complétez les phrases avec un article indéfini « un », « une » ou « des ».

a. Ma mère a hérité d'_____ Bible qui date de 1736. Elle a _____ couverture en cuir.

b. Mon oncle possède _____ voiture ancienne qui appartenait à la famille royale anglaise. Son grand-père était l'un _____ chauffeurs à la cour anglaise.

c. La mère de mon amie allemande a trouvé _____ partie du mur de Berlin dans son jardin en 1989. Il y a _____ morceaux du mur qui ont beaucoup de valeur aujourd'hui. Même _____ petits morceaux sont exposés dans des musées. Malheureusement, la mère a jeté la partie trouvée.

d. _____ ami de mon père est _____ très grand fan des films *Star Wars*. Il a acheté _____ costumes de la version originale du film. Je crois qu'il a dépensé _____ fortune. D'après moi, c'est _____ fou.

e. Le grand-père de mon copain est mort à 95 ans. Après sa mort, la famille a trouvé _____ armes qui datent de la Seconde Guerre mondiale dans la maison. Il y avait _____ fusils et aussi _____ révolver très joli avec des gravures. La famille a amené ces armes à _____ poste de police, mais les policiers n'étaient pas très surpris – apparemment, il n'est pas rare que _____ vieilles personnes gardent leurs armes.

2. Sur une île déserte, j'apporterais… – l'article indéfini

Traduisez ces phrases.

Auf eine verlassene Insel würde ich mitnehmen:
Ein farbiges Badetuch, Spiele, einen Ball, ein spannendes Buch, Zündhölzer (= allumettes, f. pl.), bequeme Schuhe, eine Sonnenbrille, eine Seife, alte Kleider und schöne Kleider, einen guten Angelhaken (= hameçon, m.) und, natürlich, gute Freunde.

voir p. 42

3. La vie est injuste – l'article défini

**Complétez le texte par l'article défini « le », « la », « l' » ou « les ».
Mettez « X » si aucun article ne manque.**

Eric : Tu as déjà fini _____ travail pour aujourd'hui ?

Alain : Oui, j'ai eu _____ entretien avec mon prof ce matin, ensuite j'ai fait _____ coordination du projet avec les autres. Maintenant, il ne me reste qu'à écrire _____ document sur la Révolution française jusqu'à mardi prochain.

Et _____ autres font _____ schéma historique, _____ recherche sur les personnages et _____ mise en page. Notre groupe est très bien organisé !

Eric : Tu as de _____ chance. Je dois m'occuper de tous _____ éléments tout seul. _____ reste du groupe est parti en excursion. Et moi, je dois préparer _____ projet seul.

Alain : _____ vie est injuste.

Eric : À qui le dis-tu ? _____ collègues visitent maintenant _____ ville de Strasbourg et _____ Parlement européen pendant que je suis à _____ école à bosser (= travailler).

Alain : Qu'est-ce que tu fais _____ samedi soir ? Au moins, tu pourrais sortir un peu avec _____ potes.

Eric : Tu rigoles ! _____ samedi je travaille toujours au McDonald's. Je dois gagner de _____ argent pour _____ leçons de conduite (= Fahrstunden). J'aimerais passer _____ permis _____ mercredi dans cinq semaines. Tous _____ mardis, j'ai _____ leçon de conduite. C'est hyper cher.

Alain : Mais au moins, dans quelques semaines, tu pourras conduire _____ voiture de ton père pour sortir _____ soir.

Eric : Non, _____ week-end, mon père en a toujours besoin.

Alain : Tu n'as vraiment pas de _____ chance...

4. L'article défini contracté

Complétez par l'article défini contracté.

> **Aide grammaticale**
> Si l'article défini « le » ou « les » suit la préposition « à » ou « de », il faut faire une contraction :
>
> à + le → **au**   à + les → **aux**
>
> de + le → **du**   de + les → **des**
>
> « à la », « à l' », « de la », « de l' » ne se contractent pas.

a. L'homme qui a provoqué la dispute a parlé (à) _____ policier.

b. Pendant que ma famille mange tranquillement _____ restaurant, je vais _____ aéroport pour aller chercher mon frère.

c. Le gâteau au fromage est une spécialité _____ chef.

d. Patrice a peur (de) _____ froid, _____ douleurs et _____ mort.

e. En hiver, mon copain adore faire _____ ski et en été, il fait _____ escalade.

f. Je suis une personne positive. Je ne pense jamais (à) _____ malheur, _____ accidents, _____ échec. Je veux toujours croire (à) _____ choses positives.

g. Gaspard s'est rendu (à) _____ gare pour prendre le train pour Marseille, mais on lui a dit _____ guichet qu'il y avait une grève des conducteurs.

h. Pendant les vacances, nous sommes montés à cheval, mais lorsque nous sommes descendus (de) _____ cheval, nous ne pouvions presque plus marcher. Nous avions de terribles courbatures _____ jambes et _____ dos.

5. Le téléphone portable – l'article défini ou indéfini

Complétez par l'article défini ou indéfini ou contracté.

Valérie : Selon moi, _____ téléphone portable est _____ invention très pratique, mais aussi un peu dangereuse.

Mélina : Toute _____ technologie me semble plutôt pratique.

Valérie : C'est _____ stress qui me dérange.

Mélina : Sur mon natel, j'ai _____ applications pour toutes sortes de choses. Pour voir _____ horaire _____ trains par exemple. J'utilise même _____ application pour faire _____ paiement _____ factures.

Valérie : Tu dis « natel » et pas « portable » pour parler de _____ téléphone portable ?

Mélina : Oui, en Suisse romande, certains utilisent _____ mot « natel » alors qu'en France, on dit « portable ». « Natel » vient de _____ mot suisse allemand.

Valérie : C'est mignon. Mais dis-moi, _____ portables ne te stressent jamais ? Chaque fois que je vois que j'ai reçu _____ message, j'ai _____ impression de devoir tout de suite répondre.

Mélina : C'est _____ erreur. Je laisse _____ téléphone en mode silencieux. Quand je reçois _____ texto, je ne l'entends pas tout de suite. Je regarde mon téléphone quand j'ai _____ moment libre. Et je réponds quand j'ai _____ énergie et _____ envie de répondre. _____ problème est que nous ne savons pas comment utiliser _____ nouvelle technologie. Nous avons _____ forte croyance de devoir être atteignable à chaque instant seulement parce que nous avons _____ possibilité de l'être. Il faut se permettre _____ moments où on n'est pas présent pour _____ messages ou _____ mails. Et on choisit _____ heure à laquelle on répond.

Valérie : C'est _____ très bonne idée. Moi, je reçois toujours _____ messages de mon chef _____ dimanche soir et cela me stresse.

Mélina : Alors, ne lis pas _____ mails _____ dimanche ! Tu as _____ choix. _____ week-end et _____ soirs à partir de 8 heures, je ne réponds plus _____ mails. Et en ce qui concerne _____ textos, je réponds si c'est _____ ami et si j'ai _____ temps. Il faut seulement apprendre à bien utiliser _____ nouvelle technologie, comme cela elle ne nous stresse plus.

6. Les meilleures vacances – l'article défini ou indéfini, contracté ou pas

**Dans le texte ci-dessous, tous les articles manquent.
Insérez les articles définis ou indéfinis ou les articles contractés. Si aucun article ne doit être mis, mettez « X ».**

Sarah : Où est-ce que tu as passé _____ meilleures vacances de ta vie ?

Doris : C'est _____ question à laquelle il est facile de répondre ! _____ meilleures vacances, je les ai passées au Soudan.

Sarah : _____ Soudan ??? C'est _____ pays inhabituel pour passer les vacances.

Doris : J'ai _____ très bonne amie qui habite à Khartoum, _____ capitale _____ Soudan. Elle est mariée avec _____ Égyptien qui est diplomate au Soudan.

Sarah : Et qu'est-ce qu'on peut faire ou voir dans ce pays ?

Doris : Nous sommes allées dans _____ désert. Est-ce que tu savais qu'il y a là aussi _____ pyramides ?

Sarah : Tu plaisantes.

Doris : En réalité, il y a 154 pyramides – _____ peu comme en Égypte. Elles se trouvent _____ milieu du désert. _____ police et _____ service d'ordre (= Security) n'y vont pas. Tu peux toucher _____ pyramides et tu peux monter _____ marches (= Stufen). En plus, il y a _____ temples avec _____ dessins. Tu peux y voir _____ hiéroglyphes (= Hieroglyphen) exactement comme en Égypte. On peut même entrer dans _____ temples.

Sarah : Mais pourquoi est-ce que personne ne le sait ?

Doris : Probablement parce que c'est _____ pays qui est un peu délicat politiquement. Mais c'est _____ endroit très, très intéressant. Ce voyage est _____ raison pour laquelle j'ai commencé à voyager autant que possible et partout.

Sarah : Parle-moi plus _____ pyramides et de ce que tu as vécu.

Doris : Je suis arrivée _____ lundi à Khartoum, _____ capitale, que j'ai visitée avec mon amie. _____ Mercredi nous sommes parties dans _____ désert.

Substantifs et articles : L'article

Les pyramides et temples de Meroe

_____ pyramides dont je t'ai parlé se trouvent à Meroe et font partie _____ Patrimoine mondial de l'UNESCO (= UNESCO-Weltkulturerbe) depuis 2011.

_____ premier empereur (= Herrscher) dont on connaît _____ nom s'appelait Ergaménès et vivait là en l'an 280 avant _____ Jésus-Christ.

_____ temples et _____ pyramides sont pourtant plus vieux et datent de 860 avant _____ Jésus-Christ. On appelait la population « _____ pharaons noirs ».

Il y a _____ chercheurs qui croient même que _____ peuple au Soudan est plus ancien que celui en Egypte. Ils pensent que _____ habitants sont descendus le long _____ Nil pour arriver du Soudan en Égypte. Mais il n'y a pas _____ preuves pour ceci.

Sarah : Mais alors, _____ pharaons sont plus vieux au Soudan qu'en Égypte…

Doris : _____ temples et _____ pyramides sont plus anciens en Égypte, _____ pyramide de Khéops, par exemple, date de 2620 avant _____ Jésus-Christ. Mais _____ peuple au Soudan pourrait être encore plus vieux. On sait que _____ pharaons noirs ont vécu pendant _____ même période que ceux en Égypte, mais on n'est pas sûr s'ils sont venus _____ sud pour créer _____ nouveau siège (= Sitz) à Gizeh. Peut-être qu'il s'agit de deux peuples différents, peut-être que _____ tout était _____ seul peuple au début venu du Soudan.

L'ancienne cité des pharaons noirs au Soudan

Sarah : C'est _____ récit presque incroyable !

Doris : Il y a pourtant _____ fait qui a été prouvé : _____ dynastie _____ Soudan était très riche et vaste. Elle avait _____ superficie de 700 kilomètres carrés. En plus, on sait que _____ pharaons égyptiens ont combattu _____ pharaons soudanais, déjà _____ première fois aux alentours de 2600 avant J.-C.[1]

Sarah : Donc, _____ Soudan est _____ pays à visiter.

Doris : Absolument. Mais sache que _____ pays a _____ mauvaise réputation à cause _____ régime, mais _____ gens sont très gentils et sympathiques.[2] Je peux te garantir : _____ souvenirs seront uniques et inoubliables.

[1] Hürter, Tobias : Schwarze Macht am Nil. Zeit Online, 27.02.2003.
[2] Bührer, Michael : Die Schweiz im Land der Schwarzen Pharaonen. Swissinfo.ch, 19.05.2015.

Internet

Lison, Céline : Das Geheimnis der Schwarzen Pharaonen. National Geographic, 2006 (Nr. 4). www.nationalgeographic.de/geschichte-und-kultur/das-geheimnis-der-schwarzen-pharaonen [06.06.2019].

Haefliger, Markus M : Auf der Spur der Schwarzen Pharaonen. NZZ, 13.03.2015. www.nzz.ch/international/afrika/auf-der-spur-der-schwarzen-pharaonen-1.18501787 [06.06.2019].

Hürter, Tobias : Schwarze Macht am Nil. Zeit Online, 27.02.2003. www.zeit.de/2003/10/A-Pharaonen [06.06.2019].

Bührer, Michael : Die Schweiz im Land der Schwarzen Pharaonen. Swissinfo.ch, 19.05.2015. www.swissinfo.ch/ger/kultur/archaelogie-im-sudan_die-schweiz-im-land-der-schwarzen-pharaonen/41360716 [06.06.2019].

Vidéo

Schliemanns Erben Nr. 7 : Die Schwarzen Pharaonen. Terra X, 2000. Disponible à : www.youtube.com [06.06.2019].

Cordts, Dethlev / von Oppel, Nicola : Die schwarzen Königinnen – Vergessenes Reich am Nil. Dokumentarfilm, 2005. Disponible à : www.youtube.com [06.06.2019].

Kleopatras Schwarze Schwestern. Terra X, 2007. Disponible à : www.youtube.com [06.06.2019].

Le pluriel

1. Du singulier au pluriel – des mots

Mettez les mots au pluriel.

voir p. 44 et 45

a. un beau château _____

b. le dernier journal _____

c. la bonne tarte _____

d. cette jeune femme _____

e. un bon prix _____

f. la voix tremblante _____

g. le feu chaud _____

h. un accident fatal _____

i. une voisine bavarde _____

j. un terrible mal de tête _____

k. un vieil aventurier _____

l. le carnaval passé _____

m. un aveu de la suspecte _____

n. un pays voisin _____

2. Du singulier au pluriel – des phrases

Mettez toute la phrase au pluriel.

a. Mon œil me fait mal.

b. Ce cas est rare.

c. Mon cheval est brun.

d. Cet hôpital central est le meilleur.

e. Mon bijou est très cher.

f. Notez le mot-clé de la phrase.

g. Son vieux grand-père joue un jeu avec nous.

h. L'amie n'aime pas le chou-fleur.

i. Le chien est un animal domestique amical. Le chat est plus individualiste.

j. C'est une entreprise internationale qui vend un genou artificiel.

k. Le prix élevé de la voiture me crée un problème.

l. L'après-midi, nous allons au restaurant du village.

Substantifs et articles : Le pluriel

3. Remplacez !

Remplacez le mot souligné par le mot qui suit. Si nécessaire, modifiez également l'adjectif.

Exemple :
Je porte des boucles d'oreille précieuses. – BIJOU
*Je porte des **bijoux précieux**.*

a. J'adore aller aux concerts les week-ends. – BAL

b. Ma voiture a de nouvelles roues. – PNEU

c. Ce sont des choix malheureux. – DÉCISION

d. Nous mangeons des pâtes. – NOIX

e. On lui a offert des muffins. – GÂTEAU AU CHOCOLAT

f. Ce sont des offres égales. – TRAVAIL

g. Il s'agit des croyances spirituelles. – RITUEL

h. Il va se raser les poils. – CHEVEU

i. Les femmes folles disent des bêtises. – HOMME   ABSURDITÉ

4. Faites le bon choix

Cochez la bonne solution.

a. La souris passe par les ☐ trous dans le mur.
　　　　　　　　　　　　　☐ troux

b. Les ☐ chacaux sont un mélange entre chien, loup et renard.
　　　☐ chacals

c. Je vais à la FNAC pour m'acheter deux nouvelles ☐ imprimantes couleurs.
　　　　　　　　　　　　　　　　　　　　　　　　☐ imprimantes couleur.

d. Je ne peux presque plus marcher, j'ai des ☐ cailloux dans mes chaussures.
　　　　　　　　　　　　　　　　　　　　　☐ caillous

e. Les ☐ nez de notre famille sont tous très longs et pointus.
　　　☐ nes

f. Les ☐ grattes-ciels de New York m'impressionnent.
　　　☐ gratte-ciel

g. Les oignons sont couverts de plusieurs ☐ peaux.
　　　　　　　　　　　　　　　　　　　　☐ peaus.

h. Les enfants ont deux ☐ idéaux à atteindre.
　　　　　　　　　　　☐ idéals

i. Les ☐ centre-ville des villes françaises me plaisent énormément.
　　　☐ centres-villes
　　　☐ centre-villes

j. Les Indiens ont partout des ☐ tableaus avec leurs différents ☐ dieus.
　　　　　　　　　　　　　　☐ tableaux　　　　　　　　　　　　☐ dieux.

k. Les ☐ cardinals sont des hommes de l'église, donc des ☐ religieux.
　　　☐ cardinaux　　　　　　　　　　　　　　　　　　　　☐ religieus.

l. Les ☐ locaux nous ont offert un repas traditionnel.
　　　☐ locals

m. Beaucoup de fleuves sont devenus des ☐ canals. Il y en a beaucoup à Paris.
　　　　　　　　　　　　　　　　　　　☐ canaux.

n. Martine n'a jamais de ☐ soux dans ses poches.
　　　　　　　　　　　　☐ sous

Pronoms

Les démonstratifs

1. Qu'est-ce que tu sais des films ? – l'adjectif démonstratif

Complétez par « ce », « cette », « cet » ou « ces ».

a. _____ bateau qu'on peut voir dans *Titanic* a été presque entièrement reconstruit.

b. Dans *Le seigneur des anneaux* (= *Der Herr der Ringe*), _____ langue parlée par les elfes avait été inventée par l'écrivain J.R.R. Tolkien. En effet, _____ écrivain avait été philologue et s'intéressait à l'étymologie des langues. Presque toutes _____ langues parlées dans le film *Le seigneur des anneaux* ont été inventées par lui. Au total, _____ génie linguistique a créé au moins douze langues.

c. _____ histoire dans *Catch Me if You Can* est une histoire vraie. Imagine, _____ homme trompeur a vraiment existé.

d. Tu connais _____ film qui s'appelle *Dirty Dancing*? C'est _____ film que presque chaque femme connaît et adore. _____ acteur, Patrick Swayze, est mon acteur préféré. Mais _____ actrice dans le film détestait Patrick. _____ harmonie qu'on peut voir est complètement jouée. _____ deux acteurs étaient très différents et ne s'aimaient pas du tout.

e. Le personnage qui a été représenté le plus dans les films, c'est Sherlock Holmes. _____ personnage est présent dans deux cent quatre films et joué par soixante-douze acteurs.

f. _____ tapis qu'on peut voir dans le film animé *Toy Story*, c'est le même que celui dans le film d'horreur *Shining*.

g. Dans *Les dents de la mer* (= *Der weisse Hai*), _____ machine qui imite le requin avait été surnommée « Bruce ».

h. Dans *Matrix Reloaded*, il y a une scène de bataille d'une durée de dix-sept minutes. _____ dix-sept minutes ont coûté 40 millions de dollars. Pour gagner _____ 40 millions de dollars, il faut vendre environ 6,6 millions de billets.

i. _____ bus dans *Speed* n'est pas un seul bus. Sur le plateau de tournage (= am Set), il y en avait douze. Deux de _____ douze ont explosé.

j. La chanson *Non, je ne regrette rien* qu'on entend dans le film *Inception* est d'Edith Piaf. _____ chanson dure deux minutes et vingt-huit secondes, le film *Inception* dure deux heures et vingt-huit minutes.

k. Tu connais le film *Retour vers le futur* (= *Zurück in die Zukunft*)? Il y a _____ inventeur qui a inventé une machine à remonter le temps (= Zeitmaschine). La première idée était de faire usage d'un réfrigérateur, mais _____ idée a été refusée ensuite. _____ réfrigérateurs auraient pu être dangereux pour les enfants, on avait peur que les enfants y entrent après avoir vu _____ trilogie. Au lieu du réfrigérateur, on a opté pour _____ voiture que tu connais certainement.

2. Au magasin de vêtements – le pronom démonstratif

Complétez par « celui-ci / celui-là », « celle-ci / celle-là », « ceux-ci / ceux-là » ou « celles-ci / celles-là ».

Mère : Qu'est-ce que tu penses de ces pantalons ?

Fille : _____ ne me plaisent pas du tout. Mais regarde _____.

Mère : Mais _____ ont des trous partout.

Fille : Oui, mais c'est à la mode.

Mère : Et ce pull rouge ici ?

Fille : _____ est pour les vieux. Peut-être qu'il te va bien.

Mère : Quelle gentillesse ! _____ est pour les vieux et donc fait pour moi…

Fille : Ohhh, mais regarde ces chaussettes colorées.

Mère : Lesquelles ? _____ ou _____ ?

Fille : Les deux sont cool. On peut les mettre en même temps. Cela change un peu.

Mère : Comment ? En même temps ? Tu veux les mettre les unes sur les autres ?

Fille : Mais non. Tu ne lis jamais les magazines de mode ? On en porte une au pied gauche et l'autre au pied droit. Par exemple, _____ en rouge et bleu, tu la portes à gauche et _____ à carreaux, tu la portes à droite.

Mère : Mais avec les pantalons, on ne les voit pas.

Fille : Si, on met des pantalons trois quart comme _____.

Mère : Tu pourrais donc même mettre un short comme _____.

Fille : _____ est pour les mecs.

Mère : Ou qu'est-ce que tu penses de cette jupe à fleurs là-bas ?

Fille : Laquelle ? _____ avec des fleurs roses est laide et _____, je n'aime pas sa couleur.

Mère : Ouille, c'est compliqué.

Fille : À qui le dis-tu. La prochaine fois, j'irai faire du shopping avec mes copines. Et avec toi, j'irai ensuite dans un petit bistrot boire un café pour te montrer ce que j'ai acheté.

Mère : C'est une bonne idée. Mais dis-moi, quel bistrot ? _____ qui a de bonnes tartes ou _____ avec les pralinés ?

Fille : Aucun des deux, _____ sont pour les vieilles dames. J'ai pensé au petit bistrot du coin où chaque table et chaque chaise sont différentes…

3. Les rumeurs courent vite – le pronom démonstratif

**Maintenant il faut faire très attention au texte afin de bien remplir le pronom démonstratif qui manque.
Ajoutez en plus « -ci / -là », « qui » ou « que », la préposition « de » ou rien du tout.**

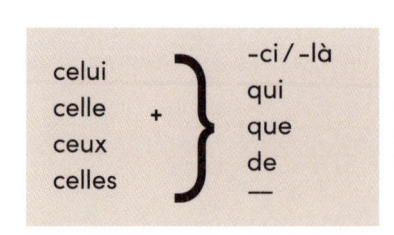

celui
celle   -ci / -là
ceux   +   qui
celles   que
            de
            —

Pour les règles de « qui » et « que » ; voir grammaire p. 56

voir p. 49

Exemples :
J'aimerais boire un thé. – Lequel ? – Peu importe. **Celui que** tu préfères.
Tu portes la jupe de qui ? – C'est **celle de** ma sœur.
Dans quel restaurant veux-tu aller manger ? **Celui-ci** tout près ou **celui** près de chez toi ?

Comme tout le monde sait, les rumeurs courent vite. _____ jurent (= schwören) ne jamais répandre (= verbreiten) de rumeurs mentent probablement. Partout c'est la même chose, à l'école, au bureau et même en famille. _____ croient que la rumeur est vraie, _____ ne veulent pas y croire. _____ s'amusent à raconter aux autres ce qu'ils ont entendu, _____ préfèrent l'oublier rapidement. Peu importe, les rumeurs courent partout.

Voici une scène à l'école :

Caroline : Tu as entendu la dernière nouvelle ?

Ève : Laquelle ? _____ dit que tu as raté ton examen de physique ?

Caroline : _____ n'est pas une nouvelle, c'était malheureusement un fait prévisible. Non, je parle de la rupture.

Ève : _____ dont tout le monde parle ? La rupture du couple parfait, Jeannine et Ilan ?

Caroline : Oui, apparemment, ils se sont disputés bruyamment pendant la pause.

Ève : Pourquoi ?

Caroline : C'est certainement à cause de la nouvelle élève qui fait un échange dans notre école.

Ève : _____ vient de la Colombie ou _____ du Danemark ?

Caroline : _____ la classe d'Ilan.

Ève : C'est Catalina, de la Colombie. _____ est une fille très belle et sympathique.

Caroline : Effectivement. Apparemment, Ilan le pense aussi. _____ est un type qui aime draguer les filles.

Ève : Qui t'a dit cela ? Ce sont certainement d'autres filles, _____ aimeraient aussi être avec lui.

Caroline : Donc, tu ne crois pas qu'il soit un filou infidèle ?

Ève : Combien de fois est-ce que tu t'es déjà trompée ? Tu te souviens d'Anne ? _____ à qui tu as dit que son copain la trompait. Et finalement, ce n'était pas vrai.

Caroline : Bon, là, j'ai fait une faute. _____ était ma seule faute !

Ève : Et avec Daniel ? C'est _____ a quitté sa copine à cause de ta rumeur.

Caroline : J'essaie uniquement d'aider et de trouver la vérité !

Ève : Quelle vérité ? _____ tu veux croire ou _____ correspond à la réalité ?

Caroline : Mais à propos de Catalina, j'ai raison. C'est à cause de _____ que Ilan et Jeannine se sont disputés ce matin. Ilan passe beaucoup de temps avec Catalina et l'aide.

Ève : Alors, d'après toi, Ilan se séparera de Jeannine et se mettra avec _____ la Colombie.

Caroline : Sans aucun doute.

Ève : Alors, les trois ne se parlent jamais.

Caroline : Jamais !

Ève : Les trois ne sont pas des amis.

Caroline : Impossible !

Pronoms : Les démonstratifs

Ève : Alors, dis-moi : Qui sont ces personnes-là ? _____ se trouvent au fond du couloir en train de travailler ?

Caroline : Euuuhhhh...

Ève : Est-ce que ce ne sont pas les trois ? _____ dont tu dis qu'ils ne se parlent jamais ? _____ ne sont pas des amis ?

Caroline : Peut-être qu'ils se disputent en ce moment et parlent de la situation.

Ève : De la situation... _____ tu as si bien analysée...
Je pense plutôt que tu t'es trompée encore une fois. C'est de nouveau une rumeur qui ne s'avère pas vraie. _____ tu m'as racontée est tout simplement fausse.
Ce serait peut-être bien si tu t'occupais un peu plus de tes affaires. Occupe-toi peut-être même du test de physique, _____ tu as raté.

Peut-être que les rumeurs finalement ne courent pas aussi loin et aussi vite qu'on le croit.

Les pronoms directs et indirects

1. Les pronoms directs – à remplir

Insérez un pronom direct dans la phrase.

a. Je regarde Thomas et il _____ regarde aussi.

b. Jasmin a donné des sous à Jill et Jill _____ rendra à Jasmin demain.

c. Juliette veut absolument voir la Tour Eiffel, mais ses copines ne veulent pas _____ voir.

d. Diego offre des fleurs à Michèle qui _____ met dans un vase.

e. Liliane chante et Loris _____ accompagne avec sa guitare.

La Tour Eiffel

Pronoms: Les pronoms directs et indirects

2. Les pronoms directs – à remplacer

Remplacez l'objet direct souligné par un pronom direct. Attention à l'accord si nécessaire.

voir p. 50

a. Je veux voir <u>ce nouveau film</u> au cinéma. *Wen oder was?*

   Je le veux au cinéma.

b. Malin a mangé toutes <u>les frites</u>. *Wen oder was = Akkusativ = COD*

   Malin les a tantes mangées

   ↳ anpassen.

c. Florian, Danilo, Demian et Jonathan ont tourné <u>le court-métrage (= Kurzfilm) très drôle</u> à l'école. *Wen oder Was?*

   Florian, Danilo, Demian et Jonathan le ont tournés à l'école. *anpassen*

d. Vivienne dessine <u>sa fleur préférée</u> sur son cahier.

   Vivienne leur dessine sur son cahier.

e. Claudia a envie de regarder <u>son album de photos</u>.

f. Julien va corriger <u>l'exercice de Manuel</u>.

g. Ramona doit organiser <u>le voyage scolaire</u>.

h. Eda a invité <u>la classe</u> à manger une pizza chez elle.

3. Les pronoms directs et l'impératif

Remplacez l'objet direct souligné ou complétez la phrase.

a. Ajoute le sel à la soupe.
___

b. Mets les lunettes de soleil car le soleil brille fort.
___

c. Ruben, éteins la lumière.
___

d. Lumi et Batuhan, notez ce que ce je vous dis.
___

e. Lukas, essaie de faire cet exercice difficile.
___

f. Felice, cache_____ derrière l'armoire. Nous jouons un tour à Naima.

g. Les enfants, asseyez_____ tout de suite.

h. Quand tu rentres à la maison, appelle_____ s'il te plaît.

i. Qu'est-ce que vous avez dans vos mains? Christian et Laurent, montrez_____.

4. Les pronoms indirects – à remplir

Insérez un pronom indirect dans la phrase.

a. Adeline, j'aimerais _____ montrer le dessin que j'ai fait.

b. Katarina parle à Sophie et Stefanie et _____ raconte ce qu'elle a fait durant le week-end.

c. Alischa aimerait participer à la fête de Jennifer, mais elle est malade et ne peut même pas _____ donner le cadeau.

d. Mon frère raconte beaucoup de mensonges à ma sœur et à moi. Il _____ ment toujours.

e. Lashvinth et Shathurya viennent du Sri Lanka. Ils ont apporté des produits typiques à leurs camarades d'école et _____ expliquent les différences entre la Suisse et le Sri Lanka.

5. Les pronoms indirects – à remplacer

Remplacez l'objet indirect souligné par un pronom indirect.

a. Marina montre une chorégraphie hip-hop à ses amies.

b. Lynne, tu dois écrire un mail à ton professeur de physique.

c. Chantal, s'il te plaît, donne un coup de main à Noël et moi pour faire la vaisselle.

d. Est-ce que ces touristes ont demandé à toi le chemin pour arriver au Münster ? C'est drôle car tu ne sais jamais où tu te trouves.

e. Clarisse va sauter au cou de son copain lors de son retour du voyage.

f. Kataryna et Tina, je dois présenter mes excuses à vous deux.

g. Ce soir, il faut que tu rendes visite à Jamina car elle est malade.

h. J'en veux à Marc parce qu'il ne répond jamais à moi.

6. Les pronoms directs et indirects

Soulignez les objets directs avec un crayon bleu et les objets indirects avec un crayon rouge. Ensuite, remplacez-les par le pronom correspondant.
N'oubliez pas l'accord si nécessaire.

a. Envoie ces cartes postales à tous tes amis après cette journée à la plage.

b. Je veux que tu donnes la feuille au chef.

c. J'aime conduire mon cabriolet s'il ne pleut pas.

d. Apporte ces fleurs à ta mère parce qu'elle est très gentille.

e. J'ai offert le gâteau à Sandra.

f. Elle a mis la chemise rouge.

7. Les pronoms directs et indirects – une réponse

Donnez une réponse en utilisant les pronoms.

a. Marie nous attend dans la rue ?

– Non, elle _____ au bar.

b. Est-ce que vous m'entendez ?

– Oui, nous _____ très bien.

c. Est-ce que tu vas chanter cette chanson à Jean ?

– Non, je _____ .

d. Est-ce que vous dites « bonjour » au facteur ?

– Oui, nous _____ « bonjour ».

e. Tu as souvent écrit à tes amis ?

– Oui, je _____ .

f. A-t-il offert les fleurs à sa femme ?

– Oui, il _____ .

g. Est-ce que tu dois donner ces livres à ton prof ?

– Non, je _____ .

8. Les pronoms directs et indirects avec l'impératif – gages

Des jeunes font des gages (= Mutproben).
Remplacez les mots soulignés par des pronoms directs et indirects.

a. Donne <u>trois bisous</u> <u>à cet inconnu</u>.
___

b. Vendez <u>ce mouchoir</u> <u>aux passants.</u>
___

c. Chante <u>cette belle chanson</u> <u>à la première grand-mère que tu vois</u>.
___

d. Demandez en mariage <u>deux personnes</u>.
___

e. Donne <u>le pourboire</u> <u>au chauffeur du bus</u>.
___

f. Demande <u>à quelqu'un</u> <u>s'il veut partir en vacances avec toi</u>.
___

g. Embrassez <u>le vieil homme</u> et dites <u>à cet homme</u> : « Tu ne me reconnais pas, je suis ton petit-enfant. »
___

h. Abordez <u>cet homme et cette femme inconnus</u>. Demandez <u>à cet homme et cette femme</u> pourquoi ils vous ont donné en adoption.
___

i. Donne <u>ces roses</u> <u>à deux personnes inconnues</u>.
___

9. Monet et van Gogh

Remplissez les lacunes par un pronom direct ou indirect (ou les deux). Si nécessaire ajoutez l'accord.
Claude Monet et Vincent van Gogh discutent de leur peinture.

Monet : Mon cher ami, Vincent, comment trouves-tu ma nouvelle œuvre *Femme avec un parasol*?

Van Gogh : Montre_____ (Zeig es mir). Tu as dessiné une très jolie femme.

Monet : Je _____ (die Frau) ai dessiné_____ car je _____ aime. C'est ma femme !

Van Gogh : Je _____ (es) pensais déjà.
J'adore comment tu as mis les couleurs. Tu _____ (die Farben) a bien mélangé_____.

Monet : Le bleu est un bleu marin. Je _____ (das Marineblau) ai choisi _____ parce qu'il _____ (mir) rappelle les yeux de ma femme.

Van Gogh : Tu _____ (die Frau) as fait une bouche plus rouge que la nature _____ (die Frau) a fait _____.

Monet : C'est vrai. Je dessine ma femme et mon fils et je _____ (Frau und Sohn) rends encore plus beaux. Je veux _____ (Frau und Sohn) faire plaisir.

Van Gogh : C'est sûr que tu _____ (es / Frau und Sohn) fais. Tu _____ montres tant d'affection puisque tu _____ (Frau und Sohn) dessines.

Monet : Ce tableau, j'aimerais _____ (dir / das Bild) offrir comme cadeau.

Femme avec un parasol **de Claude Monet**

Les pronoms « y » et « en »

1. « Y »

Remplacez l'objet par le pronom « y ».

a. Je saute sur la plateforme.

b. Il se met au boulot.

c. Alexandra dort à l'école.

d. Mirjam croit fortement à l'amour éternel.

e. Anita se réfère à un fait historique.

f. Je ne veux pas répondre à cette question personnelle.

g. Est-ce que tu penses souvent aux examens à passer ?

2. « En »

Remplacez l'objet par le pronom « en ».

a. Elle rêve des vacances de l'année passée.
   Elle en rêve

b. Nicole a eu envie d'aller à la piscine.
   Nicole y a eu envie

c. Carla se souvient de tous les détails.

d. David parle sans cesse de son travail.

e. Danilo, est-ce que tu peux me donner plus de patates ?

f. Jonas a vendu la majorité de sa collection de timbres.

g. Hier, j'ai mangé trop de pizza.

Pronoms: Les pronoms «y» et «en»

3. «Y» et «en»

A. Remplacez l'objet par le pronom qui convient.

a. Je ne comprends rien à l'astronomie.
   Je n'y comprends rien ✓

b. Tu es déjà arrivé au restaurant?
   Tu es déjà y arrivé ✗ ✓

c. Samuel achète deux kilos de tomates.
   Samuel en achè deux kilos ✓

d. Ce week-end, je vais participer à un marathon.
   Ce week-end, je vais y participer. ✓

e. Nous devons nous occuper du dîner.
   Nous devons en nous occuper. ✓

f. Anne lui a donné beaucoup de conseils nécessaires.
   Anne lui en a donné beaucoup ~~de conseil~~ nécessaires. ✗ ✓

g. J'aimerais absolument assister à la réunion de ce soir.
   J'aimerais absolument assister y ~~de ce soir~~ ✗ ✓

h. Je pense à Pascal.
   Je ~~y~~ pense à lui ✗ ✓

i. Il faut qu'on discute du matériel à commander pour la fête.
   Il en faut qu'on en discute ~~à commander pour la fête~~.

j. Yanis boit trop de café.
   Yanis en boit trop. ✓

k. René connaît beaucoup de choses sur l'économie.
   René en connaît beaucoup de chose ✗ ✓

B. Cherchez des expressions avec «en» ou «y» pour exprimer le même contenu de manière différente.

a. Ces disputes m'énervent.

b. Dominik en a le ras-le-bol (= etwas satthaben) de toujours faire le travail des autres.

Les pronoms directs et indirects + « y » et « en »

1. Toujours ces pronoms

Complétez le texte avec les pronoms correspondants – pronoms directs ou indirects, « y » ou « en ». Si nécessaire accordez le participe.

a. Marcel veut aller au concert ce soir, mais Luc ne veut pas _____ aller.

b. Roman a vu une jolie fille à la gare. Depuis, il ne _____ a pas oublié_____.

c. Ça alors, mes enfants, c'est votre grand-mère qui vous a offert tous ces chocolats ? J'espère que vous n'avez pas oublié de _____ dire « merci ».

d. Le meilleur ami de Rodolphe Lindt voulait à tout prix connaître le secret de la fabrication de son chocolat fondant, mais Lindt n'a jamais voulu _____ _____ montrer.

e. Je ne comprends pas encore ce problème de maths, Mona, aide_____, s'il te plaît !

f. « Il faut que tu finisses tes devoirs. » – « Je ne _____ ai pas envie. »

g. « Est-ce que tu as offert les fleurs aux danseurs ? » – « Zut, j'ai complètement oublié de _____ _____ donner. »

h. « Paul, est-ce qu'on va envoyer une invitation au mariage à ta cousine ? » – « Oui, envoie_____. »

i. Pierre a offert des chocolats à nous. Il _____ a offert_____ pour nous remercier de notre aide.

2. Et encore des pronoms... Questions et réponses

Répondez aux questions en utilisant deux pronoms si possible.

a. Est-ce que tu vas montrer les photos aux amis ?

   Non, je ne _____

b. Est-ce que vous pouvez renoncer au dessert ?

   Oui, nous _____

c. Qui t'a prêté la voiture ?

   C'est ma tante Kerstin qui _____

d. Est-ce que vous avez assez de choses à manger ?

   Non, nous _____

e. Pourquoi est-ce que Sylvie ne porte jamais la bague (Ring) que tu lui as achetée ?

   Parce qu'on _____

f. Est-ce que tu as pu vendre tes billets à Tim ?

   Oui, _____

g. Est-ce qu'Elena donne toutes ses notes à ses collègues à l'école ?

   Oui, _____

h. Est que tu penses souvent au futur et aux problèmes à résoudre ?

   Oui, _____

voir p. 50 à 55

3. À remplacer

Remplacez les objets par des pronoms directs, indirects, «y» ou «en».
N'oubliez pas l'accord si nécessaire.
Attention, parfois vous pouvez remplacer deux pronoms, parfois uniquement un seul.

a. Raimondo apporte les pralinés aux parents.

b. Pense aux achats à faire.

c. Elvira et Nora préparent la pizza à leur colocataire.

d. Je te donne la moitié de mon pain au chocolat, si tu veux.

e. Dites la vérité aux collègues.

f. Demian s'est souvenu de chaque mot prononcé par le chef.

g. Teresa ne grimperait jamais sur une montagne.

h. Kyla et Evelina ont perdu leurs bagages à l'aéroport.

i. La petite Marie a coupé les cheveux à son petit frère.

j. Notre famille a passé les vacances au bord de la mer en France.

k. Yvan a apporté sa soupe préférée à Élisabeth parce qu'elle était malade.

l. Sara-Anne s'est teint les cheveux.

m. La mère affirme qu'elle se souvient volontiers des années au lycée.

n. Des amis de Samuel emmèneront mon copain et moi à l'Europa Park.

Les pronoms relatifs

1. Deux parties de phrases

Complétez les phrases en choisissant une partie de la phrase dans la boîte à gauche et une dans la boîte à droite.
Liez les deux parties avec « qui » ou « que ».

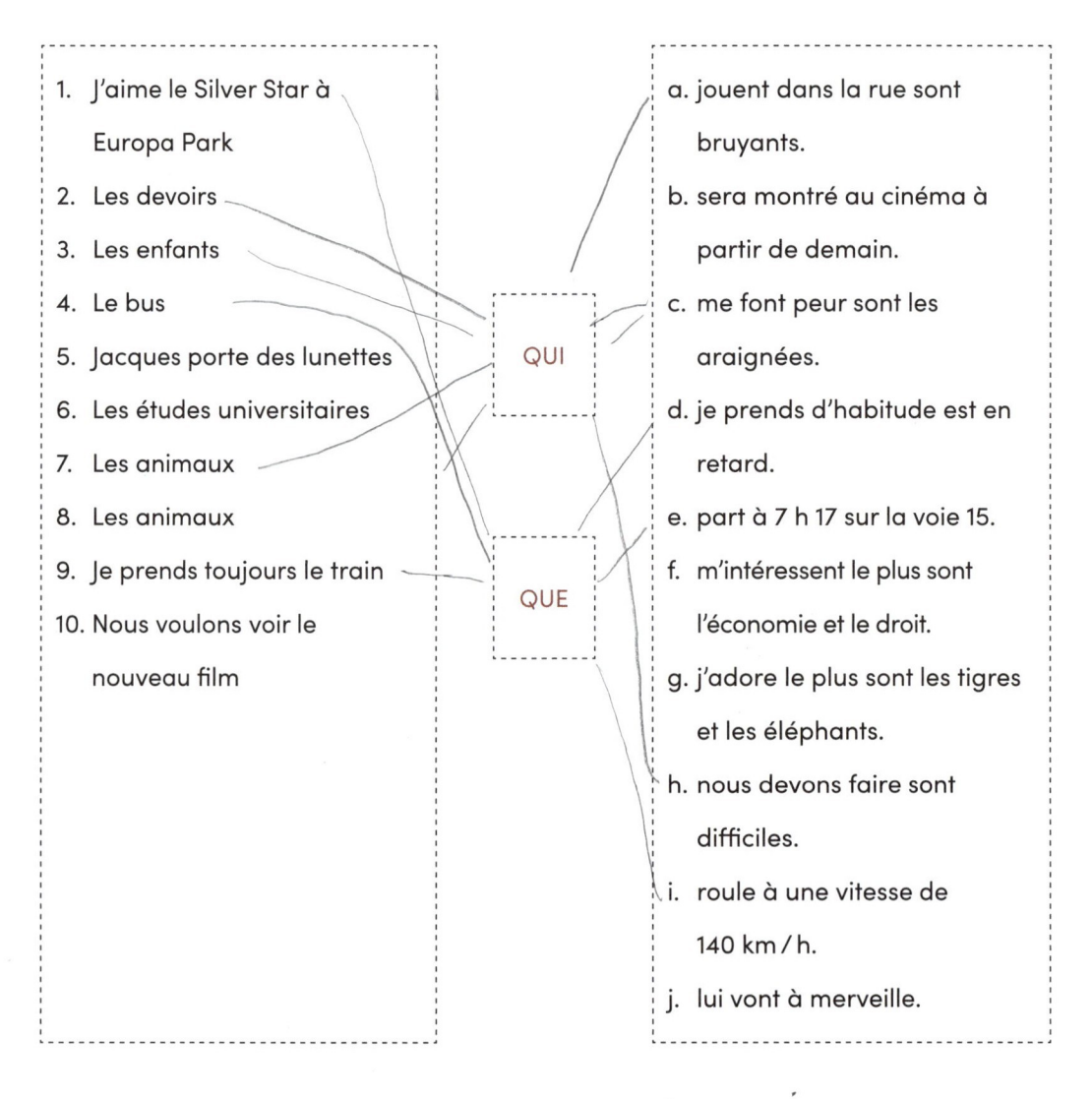

voir p. 56

1. J'aime le Silver Star à Europa Park
2. Les devoirs
3. Les enfants
4. Le bus
5. Jacques porte des lunettes
6. Les études universitaires
7. Les animaux
8. Les animaux
9. Je prends toujours le train
10. Nous voulons voir le nouveau film

QUI

QUE

a. jouent dans la rue sont bruyants.
b. sera montré au cinéma à partir de demain.
c. me font peur sont les araignées.
d. je prends d'habitude est en retard.
e. part à 7 h 17 sur la voie 15.
f. m'intéressent le plus sont l'économie et le droit.
g. j'adore le plus sont les tigres et les éléphants.
h. nous devons faire sont difficiles.
i. roule à une vitesse de 140 km / h.
j. lui vont à merveille.

1 que i
2 qui h
3 qui a
4 que d
7 qui c
9 que e

2. Jeune auteur suisse : Joël Dicker

Remplissez les lacunes avec les pronoms relatifs « qui » ou « que ».

Joël Dicker, __qui__ est né à Genève en 1985, est un écrivain suisse romand.
En 2010, il a été diplômé en droit __que__ il a étudié à l'université de Genève, mais sa vraie passion avait toujours été l'écriture, __que__ il pratiquait déjà très jeune.
Déjà à l'âge de dix ans, il a fondé *La Gazette des animaux*, __que__ est une revue sur la nature __qui__ il a dirigée pendant sept ans. Grâce à cette revue, il était le plus jeune rédacteur en chef de Suisse.
En 2012, il est tout de suite devenu connu grâce à son roman *La vérité sur l'affaire Harry Quebert*, __qui__ était son deuxième roman. Pour ce roman __qui__ a été traduit en 40 langues, il a reçu entre autres le prix *Goncourt des Lycéens*.
La vérité sur l'affaire Harry Quebert a été adaptée en série télévisée __qui__ MGM a produite en 2018.
Le rôle principal, celui de Harry Quebert, est incarné par Patrick Dempsey, __qui__ est connu pour son rôle en tant que Dr Derek Shepherd dans *Grey's Anatomy*. La série est composée de dix épisodes __qui__ durent cinquante-deux minutes chacune. Mais de quoi est-ce que ce livre parle ? L'histoire commence en 1975 lorsque Nola Kellergan, __qui__ a 15 ans, disparaît mystérieusement du petit village d'Aurora, __qui__ se trouve dans le New Hampshire aux États-Unis. Une vieille dame __qui__ a appelé la police après avoir vu la jeune fille poursuivie par un homme est tuée quelques minutes plus tard. L'enquête __que__ la police locale a menée n'a jamais permis de trouver l'assassin.

Patrick Dempsey dans *Grey's Anatomy*

Pronoms : Les pronoms relatifs

L'histoire fait ensuite un saut temporel et le lecteur se retrouve en 2008. Marcus Goldman, _____ est un jeune auteur, vient de publier son premier roman _____ l'a rendu immédiatement très connu. Pour le deuxième roman _____ Marcus est forcé d'écrire au plus vite, le jeune écrivain n'a aucune idée ou inspiration. Pour cette raison, Marcus va à Aurora chez Harry Quebert, _____ avait été son professeur à l'université et _____ est devenu son ami. Après être retourné à New York, Marcus, _____ ne sait toujours pas quoi écrire, reçoit un coup de téléphone _____ l'informe que Harry a été arrêté par la police puisqu'un squelette a été trouvé dans son jardin. Le squelette est celui de Nola, disparue trente-trois ans plus tôt, et à côté d'elle, on a trouvé le manuscrit du best-seller _____ Harry Quebert avait écrit. Marcus Goldman, _____ est convaincu de l'innocence de son ami, commence alors des recherches. Il veut découvrir ce qui s'est passé il y a trente-trois ans et finit par connaître les secrets des habitants d'Aurora, _____ est une ville beaucoup moins tranquille qu'on ne le pensait.

Les critiques ont loué ce livre. Le *Figaro littéraire* a affirmé que « c'est très rare, [...] rien ne peut couper court à l'excitation. Jeune ou moins jeune, lecteur difficile ou facile, femme ou homme, on lira sans discontinuité jusqu'au bout [...]. »[1] Effectivement, on ne peut mettre de côté cette histoire, _____ guide le lecteur sur de multiples pistes et _____ réussit à surprendre jusqu'à la fin.

[1] Fumaroli, Marc : Joël Dicker. La vérité sur l'affaire Harry Quebert. Le Figaro, 19.09.2012. www.lefigaro.fr/livres/2012/09/19/03005-20120919ARTFIG00490-joel-dicker-la-verite-sur-l-affaire-harry-quebert.php [06.06.2019].

Joël Dicker avec son roman

3. Henri Dunant et la Croix-Rouge

**Remplissez les lacunes avec les pronoms relatifs « qui » ou « que ».
En plus, accordez le participe passé si nécessaire.**

Tout le monde reconnaît le symbole de la Croix-Rouge : mais quelle est l'histoire derrière la création de la Croix-Rouge ?

En 1859, Henri Dunant, homme d'affaires, ___qui___ était né_____ à Genève en 1828, est parti en voyage d'affaires. Cet homme d'affaires, ___qui___ a voulu ___qui___ rencontrer l'empereur français, est passé à côté de Solférino, un village italien où une grande bataille se déroulait. Henri Dunant, _____ cette bataille a choqué_____ profondément, ne pouvait pas en croire ses yeux. Il y avait des blessés _____ personne n'avait soigné_____. Les quelques médecins _____ Dunant a vu_____ choisissaient les victimes à soigner. En effet, il y avait des médecins _____ soignaient uniquement les blessés français ou piémontais et d'autres médecins _____ ne s'occupaient que des blessés autrichiens. Dunant trouvait ce comportement très injuste. D'après lui, les soldats _____ sont blessé_____ ne sont plus des soldats, mais avant tout des hommes _____ il faut soigner – peu importe leur camp. Dunant, _____ n'a rien pu_____ faire tout seul, est allé_____ au village. Là, il a regroupé des femmes _____ sont venu_____ l'aider. Dunant a dit aux femmes _____ il a amené_____ au champ de bataille que tous les blessés devaient être porté_____ dans l'église Chiesa Maggiore, _____ était la plus grande église du village.

Henri Dunant

Pronoms : Les pronoms relatifs

Les femmes du village ont trouvé _____ une phrase _____ est devenu _____ très célèbre pour justifier ce choix : « Tutti fratelli ! » (= Tous frères !).

De retour à Genève, Dunant n'a jamais pu _____ oublier les hurlements du champ de bataille. À cause de cela, en 1862, il a écrit *Un Souvenir de Solférino* _____ il a publié _____ à ses propres frais et _____ il a envoyé _____ aux principales personnalités politiques et militaires de l'Europe.

Dans son texte, il a décrit ses expériences à Solférino et a demandé deux choses principales :

1. la création de sociétés de secours avec des personnes qualifiées _____ donnent des soins aux blessés ;
2. un texte de droit _____ vise à protéger les blessés de tous les camps et les médecins et infirmières chargés de les soigner.

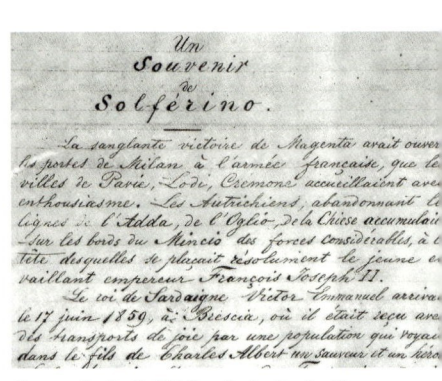

En quelques années, ce livre _____ a révolutionné les soins médicaux a été traduit en onze langues.

Le 17 février 1863, la première convention de Genève a eu lieu. C'est la date _____ est depuis considéré _____ comme le jour de création du « Comité international de secours aux militaires blessés en campagne » _____ est devenu _____ le Comité international de la Croix-Rouge. Cette date reste importante pour chaque médecin et infirmière.

Dès sa création, le CICR, _____ est l'abréviation de « Comité international de la Croix-Rouge », a un emblème : une croix rouge sur fond blanc. Cet emblème _____ les médecins portent comme signe de reconnaissance est le drapeau suisse avec les couleurs inversées.

En 1901, Henri Dunant, _____ avait alors 73 ans, a obtenu le premier Prix Nobel de la paix pour la fondation de la Croix-Rouge.

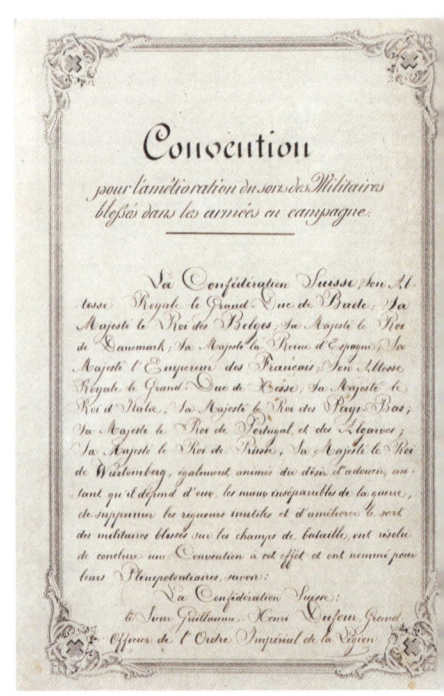

Souvenir de Solférino, le texte écrit par Dunant et publié à ses propres frais

La première page de la Convention de Genève

4. Qu'est-ce qui va ensemble ? – qui, que, où, dont

Complétez les phrases en choisissant une partie de la phrase dans la boîte à gauche et une dans la boîte à droite.
Liez les deux parties avec « qui », « que », « où » ou « dont ».

1. La salle
2. Le jour
3. Le TGV est un train
4. Est-ce que tu vois souvent les membres de ta famille
5. Le moment
6. La politique est un sujet
7. La médaille
8. La rue
9. Le Marais est un quartier de Paris
10. Le projet
11. Le spectacle
12. La manière
13. Le tableau

QUI
QUE
OÙ
DONT

a. il est le plus fier est celle du championnat mondial.
b. beaucoup de magasins se trouvent.
c. se trouve notre colocation (= WG) est bruyante.
d. commence à 19 h 30 est le plus fréquenté.
e. je dors est grande.
f. il est responsable est énorme.
g. il parle de son chef n'est pas gentille.
h. je finirai l'école, je ferai une grande fête !
i. j'ai réalisé que j'étais en retard, je suis devenu nerveux.
j. roule très vite à travers la France.
k. tu trouves dans mon salon est de Picasso.
l. vivent à l'étranger ?
m. j'aborde uniquement avec des amis.

Phrases à compléter – ce qui, ce que, ce dont

Complétez les phrases avec « ce qui », « ce que » ou « ce dont ».

a. Marianne connaît tout _ce que_ est à la mode.
b. Mon copain sait parfaitement _____ j'aime et _____ me déplaît.
c. _____ nous avons besoin après ce long voyage, c'est du sommeil.
d. _____ est cher n'est pas toujours de meilleure qualité.
e. Ma grand-mère cuisine toujours _____ j'adore manger.
f. Est-ce que tu veux savoir _____ on discutait tout à l'heure ?
g. _____ tu fais me paraît injuste.
h. J'aimerais réaliser tout _____ je rêve.
i. Les étudiants doivent noter tout _____ le professeur d'université parle.
j. _____ intéresse les enfants n'est pas toujours _____ ils devraient faire.
k. Je trouve intéressant _____ Patrick Bruel chante dans ces chansons.
l. C'est un égoïste. _____ tu sens ne l'intéresse pas et _____ tu veux lui est égal.
m. Mon père ne sait jamais _____ il peut offrir à ma mère pour Noël.
n. _____ est le plus surprenant est que l'humanité ne paraît pas être plus sage que 200 ans auparavant.

6. Les pronoms relatifs avec variantes

A. Lequel et variantes

Complétez les phrases avec « lequel », « laquelle », « lesquels » ou « lesquelles ».

a. L'application avec _laquelle_ (la) on peut faire du sport ne fonctionne pas.

b. Le coiffeur chez _lequel_ mon frère est allé se faire couper les cheveux n'est pas un vrai coiffeur.

c. Le nombre de pays dans _lesquels_ (le) j'ai voyagé augmente d'année en année. Je suis déjà arrivée à 31 pays sur 193 au total.

d. Les situations dans _lesquelles_ Silvan est entouré de beaucoup de personnes le mettent mal à l'aise.

e. Les trois choses sans _lesquelles_ je ne pourrais vivre sont : ma famille, le chocolat, mon violon.

f. La raison pour _laquelle_ je travaille n'est pas seulement l'argent, j'ai d'autres motivations : le défi (= Herausforderung) quotidien, le contact avec les gens et la créativité.

g. Selon toi, quelles sont les vedettes (= Stars) par _lesquelles_ (la) les enfants d'aujourd'hui sont le plus influencés ? Les bloggeurs, les acteurs ou les chanteurs ?

B. Auquel et variantes

Complétez les phrases avec « auquel », « à laquelle », « auxquels » ou « auxquelles ».

a. Les pâtes _____ tu as ajouté des olives me dégoûtent.

b. L'article de journal _____ nous nous référons date d'hier.

c. L'acteur _____ (pense à) je pense était dans le film *Bienvenue chez les Cht'is*.

d. La fête _____ nous avons participé était vraiment nulle.

e. Les concours _____ je participe ont toujours lieu le week-end.

f. Les collègues _____ j'ai donné un coup de main me sont reconnaissants.

C. Duquel et variantes

Complétez les phrases avec « duquel », « de laquelle », « desquels » ou « desquelles ».

a. Le commerçant _____ j'ai reçu de bons conseils ne travaille plus au même magasin.

b. Les amis, à côté _____ tu étais assis, me sont inconnus.

c. Les personnes _____ tu t'es éloigné ces dernières années sont ceux qui n'envoient jamais de messages.

d. Le séjour à Paris, au cours _____ toute ma famille est allée à Euro Disney, est l'un de mes meilleurs souvenirs d'enfance.

e. La cachette _____ est sorti le voleur était minuscule et bien camouflée.

f. Quelles sont les vedettes (= Stars) en face _____ tu ne saurais plus quoi dire à cause de ta nervosité ?

7. Duquel, auquel, lequel – le tout mélangé

Complétez les phrases avec « duquel », « auquel » ou « lequel » et leurs variantes.

a. Un homme _____ on ne sait pas grand-chose a cambriolé la maison de mes voisins.

b. La femme _____ Yan parle est allée à l'école primaire avec moi.

c. Le chien _____ tu as donné des biscuits mord d'habitude.

d. Le chef pour _____ tu travailles ne me paraît pas sympathique.

e. Les voyages _____ je me souviens le plus ont été faites en voiture.

f. L'amie avec _____ je ferais le tour du monde a grandi avec moi.

g. L'agence de voyage _____ tu as téléphoné organise des aventures uniques.

h. Est-ce que la voisine _____ tu as reçu une clé est partie en voyage ?

i. La nourriture à cause _____ je suis tombée malade avait été préparée sans respecter les règles d'hygiène.

j. Les logements dans _____ nous avons dormi pendant notre voyage scolaire étaient assez simples.

k. Quelles sont les questions _____ vous désirez avoir une réponse ?

l. Le vélo avec _____ il a traversé les Alpes était très vieux et lourd.

m. Selon moi, il n'existe aucune chose _____ on pourrait être jaloux.

n. Les films _____ je rêve sont d'habitude des films d'horreur.

o. Ce sont des problèmes mathématiques _____ il faut dédier beaucoup de temps pour les résoudre.

p. Fais attention ! Ne bouge pas les feuilles colorées sous _____ j'ai caché la carte d'anniversaire de Joëlle.

8. Duquel ou dont ?

Souvent le pronom relatif « duquel » et ses variations peuvent être remplacés par « dont ». Cochez la case si les différents pronoms peuvent être remplacés par « dont ».

voir p. 57 et 59

a. Les choses desquelles Samantha a peur sont nombreuses. ☐
b. L'homme en face duquel je suis assis dans le train parle sans cesse au téléphone. ☐
c. Les réussites desquelles nous pouvons être fiers sont innombrables. ☐
d. Le couloir au fond duquel se trouve mon appartement est très long et sombre. ☐
e. La forêt à travers laquelle je cours tous les matins est assez déserte. ☐
f. Les animaux desquels je n'arrive pas à m'approcher sont les araignées. ☐
g. Le tremplin (= Sprungbrett) duquel j'ose sauter a une hauteur de 5 mètres. ☐
h. Le sujet duquel il est question ne m'intéresse pas. ☐
i. La touriste à côté de laquelle je suis assise lit dans un guide très détaillé. ☐

9. Tous les pronoms relatifs

Complétez les phrases avec les pronoms nécessaires.

a. Dis-moi _____ ne va pas.

b. Bernard m'a envoyé une lettre _____ j'ai répondu tout de suite.

c. Les livres _____ nous avons besoin coûtent cher.

d. Voilà une pièce dans cette maison _____ le soleil n'entre jamais.

e. L'e-mail est une invention _____ je trouve vraiment géniale.

f. La femme _____ il pense sans cesse s'appelle Lydia.

g. Le chef _____ nous avons écrit n'est pas bien informé.

h. Les vacances _____ il se souvient volontiers se sont passées au Maroc.

i. Les fenêtres devant _____ fleurissent des roses ont été peintes.

j. Voici mon fils _____ je suis très fier.

k. Les élèves _____ tu parles sont très intelligents et sympathiques.

l. Paris est une ville _____ change tout le temps et _____ me plaît pour ceci.

m. Les animaux _____ elle a peur sont les araignées et les serpents.

n. _____ Daniela aime change tous les jours.

o. La femme à côté _____ tu étais assis tenait un chien en laisse.

p. J'aimerais bien savoir _____ Fabrice aimerait avoir pour Noël.

Pronoms : Les pronoms relatifs

10. Tous les pronoms relatifs – la peinture

Complétez le texte avec les pronoms nécessaires.

Tobias : Je dois faire une présentation sur une peinture pour la classe de dessin. Tu savais ceci ? Mona Lisa _____ tout le monde connaît s'appelle *La Joconde* en français et *La Gioconda* en italien. C'est Léonard de Vinci _____ l'a peinte entre 1503 et 1506.

Pascal : Quel est le musée _____ est exposée *La Joconde* ?

Tobias : C'est évidemment le Louvre à Paris. Le cadre dans _____ se trouve *La Joconde* est en bois.

Pascal : Dis-moi _____ te plaît et _____ tu n'aimes pas dans cette peinture.

Tobias : J'aime la technique appelée « sfumato », _____ veut dire « enfumé », faite par plusieurs couches de peinture. _____ me dérange un peu, c'est la couleur sombre. Mais _____ nous voyons aujourd'hui n'est plus comme la peinture avait été à son origine.

Pascal : Qui est cette *Joconde* ?

Tobias : La femme _____ de Vinci a fait le portrait est inconnue. Plusieurs hypothèses existent. Les femmes _____ font référence les théoriciens sont entre autres Lisa del Giocondo et Pacifica Brandani. Ce secret _____ chaque amateur d'art s'intéresse reste un grand mystère.

Pascal : Tu es déjà allé au Louvre, _____ se trouve *La Joconde* ?

Tobias : Oui et elle est toute petite. D'ailleurs, le tableau _____ est exposé n'est qu'une copie du tableau original. _____ le musée a peur, c'est un deuxième vol.

Pascal : Quoi ! Un deuxième vol... ? Est-ce que quelqu'un a réellement osé voler le tableau _____ attire tant de visiteurs ?

Tobias : Oui, ce vol _____ on parle encore aujourd'hui a eu lieu en 1911. Le tableau a été retrouvé deux ans après. Bizarrement, Apollinaire et Picasso étaient parmi les personnes _____ on suspectait avoir volé la peinture.

	Je trouve marrant que les peintures à côté _____ se trouve *La Joconde* restent souvent ignorées.
Pascal :	La peinture et les sculptures de Michel-Ange (= Michelangelo) sont des œuvres _____ j'adore et _____ je connais tous les détails.
Tobias :	La sculpture _____ je me souviens le plus est le *David* de Michel-Ange.
Pascal :	La pierre sur _____ Michel-Ange a travaillé est le marbre (= Marmor). On dit d'ailleurs que le *David* est la sculpture _____ Michel-Ange était le plus fier.
Tobias :	Léonard de Vinci, _____ avait reconnu le talent de Michel-Ange, l'avait accepté comme élève.
Pascal :	Je sais. Et les élèves _____ Michel-Ange a donné des leçons sont aussi devenus connus.
Tobias :	De quoi vivaient ces artistes ? Le matériel _____ les deux artistes avaient besoin coûtait certainement très cher.
Pascal :	Les Médicis _____ beaucoup d'œuvres d'art ont été dédiées aimaient la peinture. C'est pour cela qu'ils soutenaient les artistes. À Florence, les arts florissaient pendant l'époque _____ régnaient les Médicis.
Tobias :	En général, le pays _____ sont nés beaucoup d'artistes importants est l'Italie.
Pascal :	Je dirais même que les artistes _____ nous parlons maintenant sont deux des plus importants de notre culture.
Tobias :	Tu veux venir au Musée d'art moderne ce week-end ? La peinture est un art _____ change tout le temps et _____ me plaît pour cette raison. Et en plus, _____ les musées exposent change selon la mode. Tout est toujours différent.
Pascal :	Pourquoi pas. _____ est le plus intéressant, selon moi, est l'usage des couleurs. Et en ce qui concerne l'art moderne, ça peut être intéressant.
Tobias :	À samedi donc.
Pascal :	Salut !

Pronoms: Les pronoms relatifs

11. Tous les pronoms relatifs – le voyage en mokoro au delta de l'Okavango

Complétez le texte avec les pronoms nécessaires.

voir p. 56 à 59

A. L'arrivée au delta de l'Okavango

La jeune prof _____ adorait voyager tentait de profiter de chaque été pour faire un grand voyage exotique pendant _____ elle pourrait découvrir un nouveau pays et une nouvelle culture.

Une année, elle est partie entre autres au Botswana, _____ elle a fait un safari. _____ l'inspirait le plus, c'était de dormir tout le temps dans une tente au milieu de la nature. La partie du voyage _____ elle aimait le plus et _____ elle se souviendrait toute sa vie s'est déroulée dans le delta de l'Okavango. En arrivant au bord du delta, le groupe avec _____ la prof voyageait a rencontré des locaux. En groupe de deux, les voyageurs aventuriers allaient être menés au milieu du delta en mokoro, _____ est un petit bateau en bois ressemblant à une gondole à Venise.

Elle s'est retrouvée avec l'Australienne Alison, surnommée Ali, dans le mokoro de Top Dog, _____ avait grandi dans la région. Après plus d'une heure pendant _____ Top Dog ramait doucement à travers les eaux _____ _____ se cachaient des hippopotames _____ on entendait les bruits, ils sont arrivés sur une petite île _____ allait être leur camp pour deux nuits et trois jours.

Le trajet en mokoro à travers le delta de l'Okavango

Parmi le petit groupe d'aventuriers, il y avait un groupe de quatre amis _____ trois étaient Allemands et un était d'origine turque. Thomas, Daniel, Matthias et Can avaient été emmenés dans des mokoros par Holy et Culture. Évidemment, les locaux avaient choisi des surnoms _____ les touristes réussissaient à prononcer.

Tous les jours dans le delta, Top Dog emmenait la prof, Ali et les quatre amis allemands et turc dans la savane (= Savanne), dans _____ ils se promenaient à pied afin de découvrir les animaux dans leur habitat naturel. Aucune arme n'avait été apportée au delta _____ Top Dog avait grandi. Top Dog s'y connaissait très bien, il reconnaissait le comportement des animaux et savait expliquer mille choses sur la nature. Le groupe avançait à travers la savane _____ les fascinait.

Cher lecteur, imaginez marcher à travers la nature, sans armes, équipé uniquement d'une paire de jumelles (= Fernglas). Une nature dans _____ se trouvent des lions, des guépards et des léopards. Sachez pourtant que ce sont les animaux _____ ont peur des êtres humains. Il faut savoir interpréter les comportements des animaux, il faut les respecter et garder une certaine distance. _____ il faudrait avoir peur est uniquement de se perdre. Top Dog a expliqué les repères (= Anhaltspunkt) _____ on doit faire attention. Ce sont les termitières (= Termitenhügel) _____ fonctionnent comme une boussole (= Kompass), puisqu'elles sont toujours inclinées vers l'ouest.

B. La nuit

De retour au camp, la nuit allait tomber. Un énorme feu avait été allumé, mais pas avec des branches d'arbres, non, avec des arbres entiers _____ on poussait toujours plus dans les flammes au fur et à mesure qu'ils se consumaient.

Holy et Culture ont commencé à préparer le dîner dans un pot sur le feu dans _____ ils versaient une sorte de poudre. _____ ils cuisinaient s'appelle Pup, une sorte de purée de maïs sous forme de poudre, avec du poulet.

L'eau avec _____ le thé était fait avait été puisée dans la rivière (= aus dem Fluss geschöpft) et bien que bouillie, elle gardait sa couleur brunâtre (= bräunlich). Peu importe, l'eau, _____ des sachets de thé ont été ajoutés, allait intensifier encore sa couleur avant de devenir du vrai thé.

Pronoms : Les pronoms relatifs

Ali, Thomas, Daniel, Can, Matthias et la prof se sont regroupés autour du feu et ont dévoré le dîner _____ allait apaiser (= stillen) leur faim. Contrairement à leurs guides locaux _____ ne mangent qu'une fois par jour d'habitude, les touristes sont évidemment habitués à manger trois repas par jour.

Après le dîner, les locaux ont partagé des histoires vécues amusantes _____ les touristes se sont intéressés et _____ ils ont bien ri. Par la suite, les locaux se sont mis à chanter dans leur langue locale, le « tswana » (= Setswana). Les sujets à propos _____ ils chantaient concernaient leur pays et la nature. Les animaux _____ ils se référaient étaient entre autres les grenouilles ou les hippopotames. En imitant les sons des grenouilles, ils sautillaient comme ces animaux autour du feu. Ali, l'Australienne, a décrit l'ambiance par _____ elle était fascinée en affirmant : « Instant happiness! », donc « Joie immédiate! ». Culture a expliqué que les chansons et danses avec _____ les locaux divertissaient les touristes étaient toujours chantées lors des fêtes ou mariages.

Peu à peu, tout le monde s'est retiré dans sa propre tente pour y passer la nuit. Seuls Daniel et la prof sont restés assis autour du feu, près _____ on ne souffrait pas du froid. Daniel, _____ fumait, a allumé une cigarette et les deux parlaient de _____ les avait impressionnés le plus pendant la journée. De temps en temps, des sons des animaux _____ ils parlaient se faisaient entendre : le cri d'une hyène (= Hyäne), le barrissement (= das Trompeten) d'un éléphant ou le grognement (= Grunzen) d'un hippopotame. _____ les deux voyageurs craignaient était d'être surpris par des animaux qui pénétreraient dans le camp _____ ils se trouvaient et pour cela ils ont décidé de se retirer également dans les tentes et d'aller dormir. Toute la nuit, les animaux _____ passaient tout près se faisaient entendre. Quel concert !

C. Le deuxième jour

Le lendemain, ils ont fait une deuxième randonnée au milieu de la savane. C'était _____ tous attendaient avec impatience. Tout le monde suivait le guide pas après pas car ainsi les animaux ont moins peur et ne fuient pas. Lentement, ils marchaient à travers l'herbe _____ leur arrivait parfois jusqu'aux hanches (= Hüfte).

De loin, ils ont aperçu deux éléphants _____qui_____ mangeaient tranquillement et _____ on ne voyait que les têtes puisqu'ils étaient cachés derrière une petite colline. Doucement, le guide _____ le groupe faisait confiance s'est approché jusqu'à 100 mètres des éléphants sauvages. Grâce aux paires de jumelles (= Fernglas) à travers _____ les touristes regardaient, chaque détail des animaux était visible.

Les touristes suivent Top Dog à travers la savane et découvrent les animaux sauvages.

Un peu plus loin se trouvait un troupeau (= Herde) de zèbres. _____ peut surprendre est que chaque zèbre a des bandes noires et blanches différentes, comparables aux empreintes digitales (= Fingerabdrücke) des êtres humains. Les animaux _____ le groupe s'approchait regardaient attentivement mais sans bouger. _____ il ne fallait absolument pas faire, c'était des mouvements brusques ou hurler. Ainsi, on pouvait observer les animaux _____, eux aussi, observaient les êtres humains.

De retour au camp, les touristes pouvaient essayer de pédaler et de naviguer un mokoro avec _____ tous étaient venus au delta et _____ est le seul moyen de transport des locaux. Tandis que Matthias et Can préféraient se détendre en lisant, Daniel, Thomas, Ali et la prof voulaient tester leur talent. Les femmes étaient plus douées que les hommes _____ sont tombés dans l'eau. Daniel a réussi à rester debout pendant dix minutes tandis que Thomas est tombé après deux minutes dans l'eau dans _____ coassaient (= quaken) de grosses grenouilles.

Après une deuxième nuit au milieu du delta, les aventuriers ont dû quitter le delta et continuer leur voyage. Ces trois jours resteront certainement _____ tous allaient se souvenir encore pour longtemps.

L'adjectif possessif

1. Présentons notre famille

Viola présente sa famille. Complétez par les adjectifs possessifs. Les pronoms personnels (je, elle, ils) en haut de l'exercice vous disent de quelle personne on parle.

JE / ILS :

Ça, c'est moi. _____ passion est d'observer les gens. J'adore me créer des histoires sur _____ vies. C'est un peu comme dans _____ film préféré « Le fabuleux destin d'Amélie Poulain ». Je suis souvent plongée dans _____ réflexions et j'écris tout dans _____ journal intime. Mais j'ai aussi beaucoup de loisirs. _____ hobby préféré est le chant. Avec Ursina, _____ amie avec qui je passe le plus de temps, j'ai créé _____ premier groupe musical. Nous faisons de la musique pop-rock. Je compose _____ propres pièces musicales que nous chantons et jouons ensuite.

JE / NOUS :

Et ça, c'est _____ frère préféré, Timon. C'est _____ préféré, car j'en ai un seul. Quand nous étions petits, nous avions _____ propre langue que les autres ne comprenaient pas. _____ mots inventés étaient un mélange entre le français, l'italien et le suisse allemand. Ce qui était bien était que _____ parents ne nous comprenaient pas. Encore aujourd'hui, nous la parlons quand _____ mère ou _____ père ne doit pas nous comprendre.

JE / ELLE :

Voilà _____ grand-mère. Elle est une personne un peu folle, mais elle est _____ personne préférée au monde, parce que j'adore _____ humour, _____ gentillesse et _____ grand cœur. Je dis qu'elle est un peu folle étant donné qu'elle est restée comme un enfant. Pour fêter _____ 70 ans, elle a fait un tour du monde sur un bateau à voile. Elle a dit qu'elle veut réaliser tous _____ rêves avant la fin de _____ vie. Pour cela, elle a écrit _____ liste avec tout ce qu'elle désire faire. Chaque jour de _____ existence terrestre qui lui reste, elle fait quelque chose de nouveau.
La semaine passée, elle a fumé _____ premier cigare, elle s'est fait faire _____ premier tatouage et elle a mangé _____ premiers insectes achetés à la Coop. Quelle femme impressionnante !

JE / NOUS :

_____ famille adore les animaux. Ça, c'est _____ chien. Nous l'avons appelé « Omnivore » parce qu'il mange tout. Et si je dis tout, c'est vraiment tout. Il a déjà mangé une partie de toutes _____ chaussures.
Hier soir, il a volé _____ repas du barbecue (= Holzkohlengrill) avant que nous puissions l'attraper. Il a dévoré (= verschlingen) _____ viande, _____ saucisses et même _____ maïs. Un chien qui mange du maïs – ça, c'est _____ animal domestique. Un peu fou comme le reste de _____ famille.

Pronoms : L'adjectif possessif

JE / ILS :

Ce sont _____ deux cousins, Fabrice et Andreas. Ce sont les seuls jumeaux de _____ famille.

Fabrice et Andreas aiment faire beaucoup de sport. _____ sports préférés sont le basket et le ski. Dans _____ temps libre, ils sont toujours soit dans les montagnes soit sur le terrain de basket. Pour être honnête, les deux me rappellent Fred et George Weasley de _____ film préféré *Harry Potter*. _____ têtes sont toujours ailleurs, ils sont toujours en train de créer de nouveaux tours qu'ils vont jouer à _____ amis ou à _____ famille. Il y a une semaine, ils ont cloué _____ ami au plafond avec une perceuse (= Bohrmaschine). Et à _____ profs à l'école, ils leur ont donné du laxatif (= Abführmittel) pour que _____ cours n'aient pas lieu.

TU / VOUS :

Et toi ? Présente-moi _____ famille et parle-moi de _____ vie. Oui, tu as raison, je suis une personne curieuse. En réalité, je m'intéresse à _____ histoire. Quelle était _____ plus grande aventure ? Quelle est _____ idée pour changer quelque chose dans le monde ? Et quelles sont _____ folies ?

Je sais que tu as une soeur. Quelles sont _____ ressemblances (= Ähnlichkeiten) ? Est-ce que _____ voix ou _____ traits physiques sont les mêmes ? Quelles sont _____ préférences que vous partagez ?

2. « Son, sa, ses » ou « leur, leurs » ?

Complétez le texte ci-dessous avec l'adjectif possessif correct.

Sophia et Andrine parlent d'un travail français sur les variations linguistiques qu'elles doivent faire en groupe avec Vanessa et Lara. Les tâches ont été distribuées.

Sophia : Moi, je fais une recherche sur les mots en Suisse romande. Qu'est-ce que Lara fait ?

Andrine : _____ travail porte sur la recherche concernant les abréviations dans les textos.

Sophia : Est-ce que Lara fait _____ part pendant le weekend ? Parce que j'ai besoin de _____ résultats.

Andrine : Lara et Vanessa vont me donner _____ résultats dimanche soir.

Sophia : C'est très bien. Ainsi, je pourrai intégrer _____ part individuelle dans le dossier.

Andrine : Heureusement, nous avons Vanessa dans notre groupe. _____ texte sera certainement sans fautes puisqu'elle parle le français à la maison.

Sophia : Mais _____ grammaire n'est pas parfaite.

Andrine : Mais elle est meilleure que la nôtre. Elle a promis aussi de corriger les textes de Jamina et Malin.

Sophia : _____ français devient toujours meilleur. Je suis sûre que _____ textes sont meilleurs que les nôtres.

Andrine : Comme tu es pessimiste aujourd'hui. D'habitude c'est moi qui le suis.

Sophia : J'ai juste l'impression que _____ sujet est plus facile que le nôtre.

Andrine : Quelle est _____ thématique ?

Sophia : Ce sont les traditions culturelles en France, au Canada et en Suisse. Malin adore cela. C'est _____ hobby ou, pour mieux dire, c'est _____ passion.

Andrine : (ironique) Et pour Vanessa et Lara c'est pareil, non ? _____ matières préférées sont les langues. Donc, on peut dire que cela aussi est une « petite » passion pour les langues. C'est donc parfait pour _____ chapitre. Sophia, tu exagères !

Sophia : Tu as probablement raison. Ce n'est pas ma journée aujourd'hui…

Pronoms : L'adjectif possessif

3. Leur ou leurs ?

Souvent, les apprenants du français, mais aussi les francophones eux-mêmes, confondent (= verwechseln) les adjectifs possessifs « leur » et « leurs » avec le pronom indirect « leur ».
Complétez les phrases avec l'adjectif possessif correspondant ou le pronom indirect. En plus, notez P (pour possessif) ou I (pour indirect) à la fin.

Exemples :
Je **leur** donne le billet.   I
C'est **leur** enfant.   P

a. Paul doit _____ rendre visite.   _____

b. Ce n'est pas ma fête, c'est _____ fête.   _____

c. Ce soir, mes amis viennent chez moi. Je vais _____ préparer un bon repas.   _____

d. Est-ce que ce sont _____ chaussures qui trainent ici ?   _____

e. Il faut que tu _____ dises la vérité !   _____

f. Mes parents ont ouvert _____ propre magasin.   _____

g. Marianne et Thomas envoient _____ enfants dans une école privée.   _____

h. Quel est _____ nom de famille ?   _____

i. Donne-_____ quelque chose à boire.   _____

j. Ce que je _____ ai dit était un secret.   _____

k. Les enfants sont parfois difficiles. _____ humeur peut vite changer.   _____

l. Ce n'est pas à nous de tout faire. Ce sont _____ travaux.   _____

m. Notre aide, nous devons la _____ offrir.   _____

4. Louis XIV – le Roi Soleil

Complétez le texte ci-dessous avec les adjectifs possessifs appropriés.

Louis XIV, le roi de France, avait régné pendant soixante-douze ans jusqu'en 1715. Je suis sûre que vous connaissez _____ surnom. Louis XIV, le Roi Soleil (= Sonnenkönig). Mais avez-vous la moindre idée pourquoi _____ cour (f. = Hofstaat) lui a donné ce nom ?

Vous n'allez pas croire _____ yeux en lisant ces lignes… On lui a donné ce nom à cause de la danse classique, le ballet. Oui, le roi, qui était connu pour _____ paroles : « L'État, c'est moi ! », était un amateur de ballet. On sait que Louis XIV dansait lui-même le ballet. C'était un de _____ passe-temps favoris. Il dansait sur scène devant un public important jusqu'à _____ 30ᵉ année de vie.

_____ rôle le plus connu était celui qu'il avait incarné à l'âge de 14 ans, en 1653 : dans le *Ballet royal de la Nuit,* Louis XIV a dansé le « Soleil » qui se lève. C'est la raison pour laquelle _____ entourage (m. = Gefolgschaft) et, plus tard, les enfants de l'entourage et _____ enfants l'ont appelé « Roi Soleil ».

En 1661, Louis XIV a fondé _____ « Académie royale de danse ». Ceux parmi vous qui font de la danse, ne vous êtes-vous jamais demandé pourquoi _____ professeur utilise des mots français comme « plié », « développé », « chassé » ou « fondue » ? Voici _____ réponse. De cette période datent également les cinq positions de base des pieds.

C'est en France que le ballet s'est développé, mais en réalité il est né en Italie, à Florence, chez les Médicis. C'est Catherine de Médicis, qui s'est mariée avec Henri II, et qui a emmené cette danse dans _____ nouveau pays. Avec elle sont venus des chorégraphes et _____ danseurs. _____ premier spectacle était appelé *Ballet comique de la Reine.*

Pronoms : L'adjectif possessif

Louis XIV : « L'État, c'est moi ! »

Louis XIV dansant le *Ballet royal de la Nuit*

Avez-vous vu ou lu une comédie de Molière ? _____ œuvres sont destinées à faire rire, comme *Le malade imaginaire* ou *L'Avare*. Mais Molière n'a pas uniquement écrit des comédies, il a écrit plusieurs comédies-ballets pour _____ roi. Les acteurs faisaient des danses entre _____ scènes. Il s'agissait donc d'une pièce de théâtre combinée avec de la danse classique.

Louis XIV était le mécène (= Mäzen ; Förderer) de Molière et les deux étaient liés d'amitié. Presque toutes _____ pièces étaient toujours jouées à la cour royale. Pour honorer _____ amitié, le roi avait même accepté d'être le parrain (= Patenonkel) du premier enfant de _____ ami auteur.

Le pronom possessif

1. À remplacer

Remplacez les mots soulignés par un pronom possessif.

a. J'adore les chaussures de cette fille. <u>Mes chaussures</u> sont vieilles et s'il pleut, j'ai les pieds mouillés.

_____

b. Ma destination de rêve pour un long voyage est l'Amérique du Sud. Quelle est <u>ta destination de rêve</u>?

_____

c. Mes films préférés sont ceux avec beaucoup d'action. <u>Les films préférés de ma copine</u> sont les films historiques.

_____

d. J'ai entendu que vous avec des problèmes avec vos voisins. <u>Nos voisins</u> sont magnifiques. On fait souvent des fêtes ensemble.

_____

e. Mon fiancé m'a offert un week-end à Paris. – <u>Mon fiancé</u> m'a offert deux jours à la montagne à faire du ski.

_____

f. Dans notre temps libre, nous faisons des randonnées. Qu'est-ce que vous faites dans <u>votre temps libre</u>?

_____

g. Le 6 décembre, nous avons la tradition de faire du pain d'épice (= Lebkuchen). <u>La tradition de Stephanie et Laura</u> n'est pas habituelle. Elles préparent et mangent des saucisses avec du pain.

_____

Pronoms : Le pronom possessif

2. À compléter

Complétez les phrases. Prenez note de la préposition « à » ou « de » qui précède le pronom possessif.

a. Je m'occupe de mes affaires. Donc, s'il te plaît, occupe-toi _____.

b. Si tu demandes à ton mari de faire un cours de danse, je demanderai aussi _____.

c. Tout le monde regarde le projet de Lisa et Helena, mais votre projet reste inaperçu. Personne ne fait attention _____.

d. Fabien ne pense jamais à ses amis, Naomi, par contre, pense toujours _____.

e. Vous ne parlez jamais de votre travail. Nous, cependant, parlons sans cesse _____.

3. Toujours mécontente

La petite Isabelle se plaint et se met à discuter avec sa mère. Complétez le texte avec les pronoms possessifs.

Isabelle :   Hier, j'ai vu la chambre de Lynne qui va à l'école avec moi. Sa chambre est beaucoup plus grande que _____. Moi aussi, je veux une chambre plus grande.

Mère :   Dis ceci à tes frères. Tu as vu _____ ? Elle est encore plus petite que _____ et ils doivent la partager.

Isabelle :   Mais mes frères ont plus de jouets. Et _____ sont plus amusants. Et ils sont plus neufs.

Mère :   Ils ne sont pas plus neufs que _____, mais tes frères les traitent mieux. Quand tu es fâchée, tu jettes les jouets partout et ainsi, ils s'abîment (= beschädigen ; ruinieren) plus vite.

Isabelle:	C'est parce que je m'ennuie. Je n'ai pas assez de jouets.
Mère:	Pas de problème. Tu peux m'aider à faire les travaux domestiques, si _____ que tu dois faire ne sont pas suffisants. Tu dois uniquement laver la vaisselle et sortir le chien, mais tu peux m'aider plus. De la sorte, tu ne t'ennuieras pas.
Isabelle:	Je ne veux pas t'enlever ton hobby.
Mère:	Mon hobby… (ironique) Certes, mes hobbys sont d'emmener toi et tes frères à vos hobbys et de venir vous chercher après. Isabelle, _____ est de monter à cheval et, quant à tes frères, _____ est de grimper. Oui, c'est mon hobby et je m'amuse vachement à vous emmener et aller vous chercher à _____.
Isabelle:	Maman, tu ne dois pas te fâcher. Tu devrais faire attention à ton humeur (f. = Laune). Elle est un peu mauvaise.
Mère:	Et _____? Tu te plains toujours de tout et si tu n'as pas ce que tu désires, tu jettes tes jouets. J'en ai marre. Ce soir, tu iras au lit sans dessert.

Plus tard, Isabelle et ses deux frères.

Isabelle:	Ma copine Lynne a vraiment de la chance. Elle a une grande chambre et ses parents sont beaucoup moins stricts que _____.
Son frère Tobias:	Oui, mais ses parents sont moins stricts parce qu'ils ne sont jamais à la maison. _____ ne s'occupent jamais d'elle et ils la laissent toujours seule.
Isabelle:	Sa mère est cool.
Son frère Tobias:	Je connais sa mère, elle ne cuisine jamais et ne fait jamais de tartes ou de biscuits. _____ fait toujours quelque chose de sucré pour nous.
Isabelle:	Oui, mais elle est toujours là, elle voit tout, elle observe tout. C'est énervant.

4. Les registres linguistiques

**Un vieil homme reçoit des SMS de son petit-fils qu'il ne comprend pas.
Complétez le texte ci-dessous avec l'adjectif possessif (« mon, ta, ses », etc.) et le pronom possessif (« le mien, la tienne, les siennes », etc.).**

Le vieux monsieur Millet entend _____ smartphone faire « bip ».

Il cherche _____ lunettes afin de lire le nouveau message. Mais malgré les

lunettes, il ne réussit pas à déchiffrer le message de _____ petit-fils. Il

murmure : « La langue de ces jeunes n'est plus compréhensible. Elle est si différente de

_____. _____ SMS sont pleins d'abréviations comme « gt » ou

« dm1 ». _____ génération semble avoir créé un langage complètement

différent. _____ n'en avait pas encore. Nous avons toujours écrit comme à

l'école. » Monsieur Millet se met à lire, il fronce (= runzeln) _____ front en

déchiffrant (= beim Entschlüsseln).

Jspr ktu va bien.
Désolé j avai pa vu
ktu a essayé de
mappeler.
Demain g du tem
si tu veu alé boir
un café.

Monsieur Millet pense : « J'aime _____ petit-fils, mais _____ français est terrible. _____ était beaucoup mieux à cet âge. _____ orthographe me fait énormément de soucis. _____ a toujours été très bonne. Je n'étais pas très fort en mathématiques, mais je ne faisais jamais de fautes d'orthographe. J'espère qu'il trouvera quand même un poste de travail malgré _____ déficit (= Defizit). »

Monsieur Millet est plongé dans _____ pensées. Il se souvient de ce que _____ petit-fils lui avait dit. Il lui avait expliqué qu'il y a même des personnes qui parlent le « verlan » – une langue avec des mots à l'envers. Les habitants des banlieues françaises ont inventé et parlé _____ langue cryptée (= verschlüsselt) pour ne pas être compris. Monsieur Millet se souvient : « _____ petits-enfants m'ont même dit que ce « verlan » est aujourd'hui employé un peu partout en France. Les chanteurs utilisent ces mots dans _____ chansons. _____ chanteurs préférés sont les rappeurs, _____ étaient Johnny Hallyday ou Claude François. »

Monsieur Millet entend dans _____ tête les chansons de _____ jeunesse et se dit : « _____ était une belle musique. Et _____ étaient de bons textes. »

> **Le « verlan » :**
> À l'origine, c'est la langue des jeunes « beurs » (= « arabes » en verlan), donc des jeunes Maghrébins vivant en France.
> Pour créer un mot verlan, il faut invertir les syllabes. La seule chose qui compte est la prononciation.
>
> Voici quelques exemples :
> le féca = le café
> le keuf = le flic (le policier)
> le keum = le mec
> ouf = fou
> la meuf = la femme
> auch = chaud

Pronoms : Les pronoms toniques

Les pronoms toniques

1. C'était qui ?

Répondez aux questions suivantes en utilisant les pronoms toniques.

voir p. 62

a. Est-ce que c'est toi qui as cuisiné ? – Oui, c'était _____ .

b. Est-ce que ce sont les enfants qui chantent à tue-tête ? – Oui, ce sont _____ .

c. C'est à qui le tour de nettoyer ? – C'est toujours la personne qui demande, donc c'est à _____ .

d. Qui a provoqué ce chaos ici ? – C'était le chat. C'est toujours _____ .

e. Qui a gagné le match ? Notre équipe ou l'autre ? – Heureusement que c'était _____ .

f. Est-ce que c'est à la belle Salomé que tu as envoyé une carte postale ? – Oui, c'est à _____ .

g. Les enfants, qui n'a pas fermé la fenêtre ? Tout est mouillé à cause de la pluie ! – C'était _____ , madame. Vous aviez promis d'y penser.

h. Habites-tu avec Stéphanie et Kateryna ? – Oui, j'habite avec _____ pendant un mois, avant de trouver une nouvelle colocation.

i. Est-ce que ce sont Elias et Silja qui ont tellement envie d'aller au cinéma ? – Non, ce ne sont pas _____ , ce sont Sandra et Ervin.

j. Avec qui est-ce que tu vas à l'Open Air ? – Toujours avec Maurice et Fabrice. C'est avec _____ que je m'amuse le plus.

k. Qui veut du chocolat ? – _____ !! Je suis accro (= süchtig) au chocolat.

2. C'était où ?

Complétez les phrases en utilisant les pronoms toniques.

a. Je mange chez ma grand-mère. Chez _____, on mange le mieux.

b. Où est-ce qu'on dort le mieux ? – D'habitude, on dort le mieux chez _____ à la maison dans son propre lit.

c. Où est-ce que nous mangeons ce soir ? Dans votre colocation ou dans la nôtre ? – Nous avons encore beaucoup de nourriture dans le frigo, donc il vaut mieux que nous mangions chez _____.

d. J'ai adoré passer à travers la jungle sur le dos de cet éléphant. Sur _____, je me suis sentie en sécurité.

e. Jennifer préfère sortir. C'est pour _____ que nous sommes allés au restaurant hier soir.

f. Je déteste aller dans le bureau de mes deux chefs. Dans le bureau chez _____, je ne me sens pas à l'aise.

g. Où se trouve la petite fille de Thomas ? – Elle est timide. Pour cela, elle se cache toujours derrière _____.

h. Les enfants, restez près de Marianne et Manon. Si vous restez près de _____ en ville, vous ne vous perdrez pas.

3. Soi-même

Remplissez les lacunes avec « moi-même », « toi-même », etc.

a. Kerstin est frustrée car, à l'école, il faut faire un travail de groupe. Kerstin a l'impression de devoir faire tout _____.

b. Le capitaine du navire fait _____ la présentation des consignes de sécurité (= Sicherheitsbestimmungen).

c. Mon frère et moi, nous adorons réparer nos vélos _____.

d. Il est absolument fondamental de rester _____ dans une relation amoureuse.

e. J'essaie de résoudre mes problèmes _____ et je ne veux pas l'aide des autres.

f. Carmen, reste toujours _____ dans toutes les situations.

g. Les petits enfants essaient toujours de tout faire _____.

h. Il faudrait être honnête avec _____ car il est facile de se mentir à _____.

i. Vous devez croire au miracle car vous en avez certainement déjà vu _____.

j. Sophie et Angelin organisent _____ la fête pour leur anniversaire.

Adjectif et adverbe

# L'adjectif

1. Mots croisés

Complétez ces mots croisés par les adjectifs. Si l'adjectif de base est masculin, mettez la forme féminine, si l'adjectif est écrit dans la forme féminine, écrivez la forme masculine. Ensuite, trouvez la phrase qui vous donnera la solution.

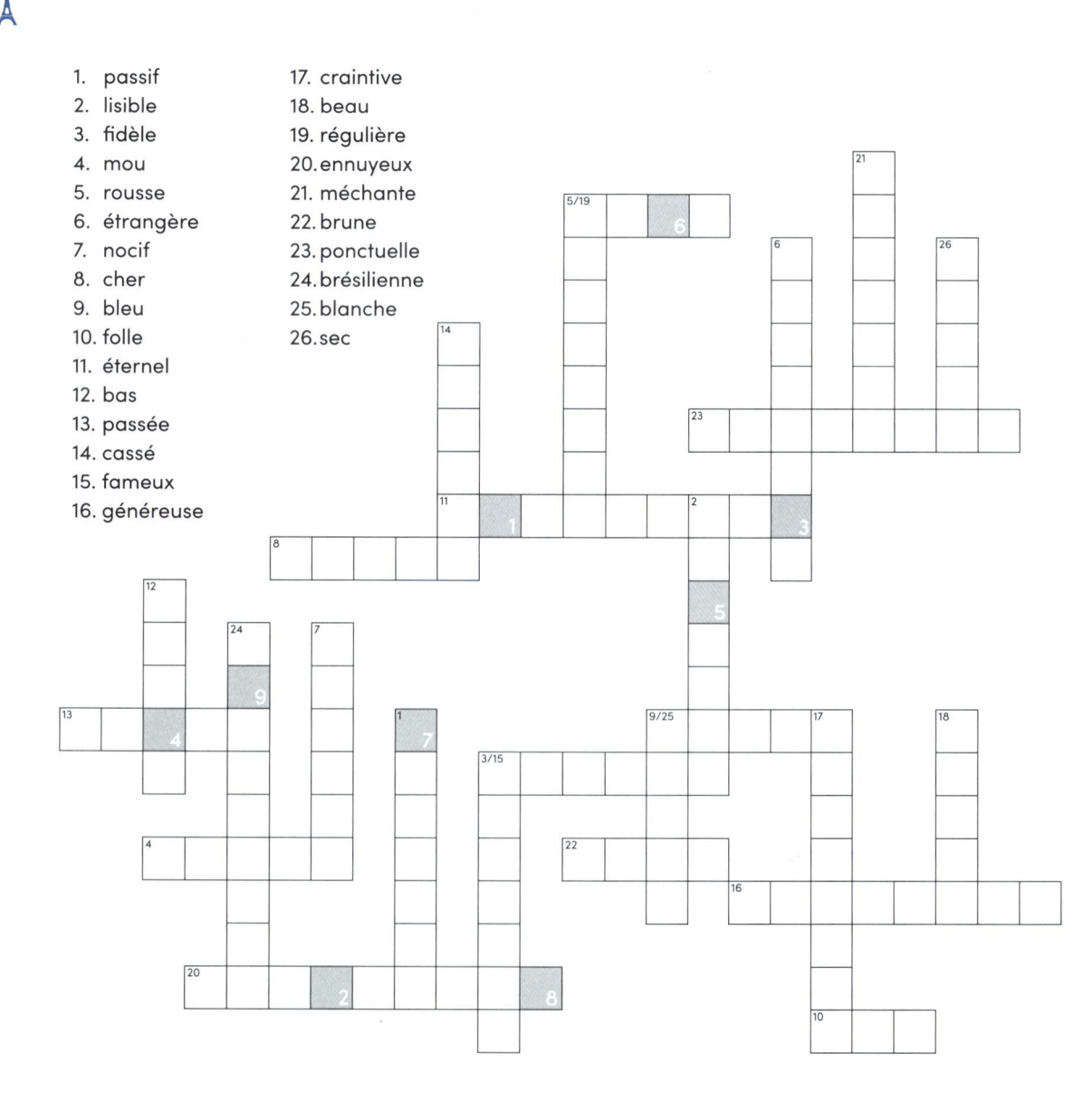

1. passif
2. lisible
3. fidèle
4. mou
5. rousse
6. étrangère
7. nocif
8. cher
9. bleu
10. folle
11. éternel
12. bas
13. passée
14. cassé
15. fameux
16. généreuse
17. craintive
18. beau
19. régulière
20. ennuyeux
21. méchante
22. brune
23. ponctuelle
24. brésilienne
25. blanche
26. sec

Adjectif et adverbe : L'adjectif

2. Du masculin au féminin, du singulier au pluriel

Complétez par l'adjectif à la bonne forme.

A. Du masculin au féminin et vice-versa

a. un dessin original — une peinture _originale_

b. un artiste _rêveux_ — une chanteuse rêveuse

c. un vin grec — une salade _grecque_

d. un repas formel — une cérémonie _formelle_

e. un jour d'hiver _frais_ — une journée fraîche

f. un dessert sucré — une crêpe _sucrée_

g. un vélo _nouveau neuf_ — une voiture neuve

h. un moment _délicat_ — une situation délicate

i. un entretien bref — une conversation _brève_

j. un gros défaut — une _défaute grosse_ erreur

B. Du singulier au pluriel et vice-versa

a. un frère jumeau — des frères _jumeauses_

b. une sportive musclée — des sportives _musclées_

c. un politicien _italien_ — des politiciens italiens

d. le premier contact — les _premiers_ résolutions

e. une amitié _superficielle_ — des rapports superficiels

f. une question idiote — des articles _idiotes_

g. l'entraînement _____ — les calculs mentaux

h. un chien peureux — des souris _____

i. un économiste _____ — des entreprises calculatrices

j. la salutation finale — les jeux _____

3. Nouveau, beau, vieux

Complétez le texte par les adjectifs « nouveau », « beau » et « vieux » à la bonne forme (parfois plusieurs variantes peuvent être correctes).

Karin : Bonsoir, monsieur Jacques. Comment allez-vous ?

Jacques : Bonjour, ma _____ Karin. Ça va, ça va. Mes _____ os (= Knochen) me font mal. Surtout avec ce froid. Rien à faire, je suis un _____ homme qui marche avec sa _____ canne (= Spazierstock). Mon épouse voulait me l'offrir comme cadeau de Noël, mais la _____ canne s'est cassée hier. Donc, nous sommes allés en acheter une _____ ce matin.

Karin : Elle est très _____. J'aime la veinure (= Maserung) du bois.

Jacques : Heureusement que c'est bientôt Noël et le _____ an. Je verrai toute ma famille et le _____-né (= Neugeborene) de mon fils. C'est toujours une très _____ ambiance de fêter en famille.

Karin : Avez-vous déjà tous les cadeaux pour chaque membre de la famille et également pour le _____ membre ?

Jacques : Pour mon fils, j'ai acheté un _____ appareil photographique pour qu'il puisse faire tant de photos de son _____ bébé. Mon petit-fils désire avoir un _____ ordinateur. Mon épouse s'occupe des autres cadeaux.

Karin : Avez-vous de _____ traditions que vous répétez chaque année ?

Jacques : Nous avons une _____ tradition depuis l'année dernière. Chaque personne raconte une _____ histoire d'un _____ événement qu'il ou elle a vécu pendant l'année. En plus, chacun écrit un _____ objectif (= Ziel) qu'il ou elle veut atteindre pendant la _____ année.

Karin : C'est une _____ idée. Ça permet de bien terminer le _____ an qui finit et d'encore mieux commencer la _____ année.

Adjectif et adverbe : L'adjectif

4. Et si on remplaçait... ?

Remplacez le mot souligné par celui qui est écrit entre parenthèses et modifiez les adjectifs et tout autre élément qui doit être adapté.

a. Mon <u>appartement</u> est très coloré. Il est rouge, vert, jaune, noir et certainement pas blanc. Disons qu'il est charmant et unique. (la maison)

b. J'adore mon petit <u>chien</u> mignon, mais il est un peu gros pour sa taille. (la chienne)

c. <u>Les gens</u> sur Instagram qui sont artificiels ne me plaisent pas. D'après moi, ils sont faux, arrogants et superficiels. (les personnes)

d. Mon premier <u>petit ami</u> était silencieux, timide, mais très intelligent et sportif. Le deuxième était quelque chose entre créatif, original et fou. (la petite amie)

e. Les dernières <u>années</u> ont été un peu difficiles. Elles n'étaient ni intéressantes ni aventureuses, elles étaient juste dures et fatigantes. (les mois)

f. <u>Les filles</u> de Jacky sont très studieuses. Elles ne sont jamais bruyantes, mais respectueuses et plutôt réservées. Je ne les ai jamais vues furieuses ou criardes. (les garçons)

5. Daniel et Danielle

Dans le texte ci-dessous, Daniel est un garçon de 17 ans qui fait un apprentissage pour devenir boulanger. Toutes les personnes dans ce texte sont des hommes.
Réécrivez ce texte avec Danielle, une fille de 17 ans. Toutes les personnes deviennent des femmes aussi : le chef deviendra la cheffe, le copain devient la copine, etc.

Daniel se lève chaque jour à 2 heures du matin pour aller au travail. Il est apprenti boulanger. Les premières heures, il est très fatigué, néanmoins il est toujours motivé et veut bien faire son travail. Son vieux patron est lunatique (= launisch), mécontent de sa vie et un peu agressif.
Daniel, frustré, se plaint auprès de son ami. Celui-ci est étudiant au lycée. Il explique qu'il le comprend bien : « Moi aussi, j'ai un professeur qui ne paraît jamais heureux. Il est hyper sévère et exigeant. Les autres garçons de ma classe sont très studieux et travailleurs. Il n'y a que deux élèves qui sont paresseux et je suis l'un des deux. » Daniel répond qu'au moins, il doit seulement étudier. « Je dois être debout toute la journée. Parfois, je me sens épuisé parce que mon travail est très physique. » – « Moi, je suis aussi crevé, mais mentalement. Parfois, mes copains et moi, nous nous sentons surchargés à cause de tout ce que nous devons étudier pour les examens. Mes copains ne sont jamais paresseux et donc je dois moi aussi être le plus appliqué possible. Et en plus, je ne gagne rien. Toi, tu as au moins un peu d'argent. » – « Les apprentis restent quand même pauvres malgré le travail qu'ils font. Mais malgré tout, si on y pense : tous les apprentis et tous les élèves devraient être satisfaits et reconnaissants pour la belle vie qu'ils mènent. Si on compare notre situation avec celle des travailleurs exploités dans d'autres pays ou les garçons désireux d'étudier qui n'ont pas la chance d'aller à l'école... Nous pouvons nous considérer chanceux (= als Glückspilz gelten). »

Adjectif et adverbe : L'adjectif

6. Où placer les adjectifs ?

**Mettez les adjectifs au bon endroit et accordez-les.
Si possible, écrivez plusieurs variantes.**

a. un pays ; petit ; fameux

b. des voisins ; original ; bon

c. des garçons ; petit ; blond

d. un avion ; vieux ; portugais

e. des femmes ; sportif ; sympathique

f. un ami ; beau ; gentil

g. une chemise ; long ; joli

h. les Françaises ; marié ; jaloux

i. l'appartement ; nouveau ; grand

j. un animal ; minuscule ; dangereux

k. deux chats ; gros ; noir

l. la championne ; premier ; mondial

7. Changement de signification

Expliquez, en une phrase en français, la différence de signification entre ces expressions.

a. une chambre propre   ma propre chambre

b. un ami pauvre   un pauvre ami

c. un vieil ami   un ami vieux

d. une chère amie   un objet cher

8. Petites annonces

Complétez les petites annonces en mettant l'adjectif à la bonne place.

Appartement

À partir du _____ mois _____ de juillet, nous   beau

louons un _____ appartement _____   merveilleux

au centre du _____ village _____ de Möhlin.   grand

L'appartement dispose d'un _____ balcon _____   spacieux

et d'une _____ cheminée _____ bien rénovée   vieux

dans le _____ salon _____ .   spacieux lumineux

Animal domestique

Notre _____ chatte _____   noir gros

vient d'avoir six bébés.

C'était un _____ animal vagabond _____   très timide

_____ et depuis qu'elle est arrivée

dans notre _____ jardin _____ , elle n'est plus partie.   joli

Nous avons cru que ce _____ chat _____   doux

était masculin, mais la _____ semaine _____ , elle a   passé

accouché de six _____ bébés _____ .   mignon

Il y a une _____ femelle _____ ,   brun

deux _____ femelles _____ ,   blanc

un _____ mâle _____   petit gris

et deux _____ mâles _____ .   très coloré

Ces _____ chats _____ cherchent   adorable

une _____ famille _____   gentil

qui les accueillerait.

9. Les parfums

Intégrez les adjectifs dans le texte (à la même ligne) en les accordant au substantif.

Texte	Adjectifs
Grasse est un village près de Cannes,	petit | médiéval
au sud de la France. Grasse a conquis une place dans l'industrie	dominant
des parfums. Déjà en Moyen Âge, les tanneurs (= Gerber)	plein
se sont installés dans la région et leurs produits sont devenus	célèbre
en raison de la qualité du cuir.	bon
Au XVIe et XVIIe siècle, le cuir était à la mode	parfumé
et pour cela, les Grassois (= habitants de Grasse) ont commencé	
à cultiver des fleurs qui sentaient bon, afin de créer	local
des essences et des eaux.	artisanal | parfumé
Les paysans cultivaient le jasmin, le mimosa, la lavande et	local
la rose centifolia pour ces produits.	nouveau
On attribue pourtant à l'apothicaire d'origine Francesco	italien
Tombarelli l'invention du parfum dans son laboratoire. Ainsi,	premier
il a donné naissance au centre de parfum.	européen
Déjà au XVIIIe siècle, les parfumeurs fabriquaient et vendaient des	
matières pour les parfums. Grasse a connu un développement	premier
grâce à la production des parfums.	économique | énorme
Un siècle plus tard, Grasse a fondé des usines dans des	
colonies afin d'intégrer également des essences dans	français | exotiques
ses parfums.	fameux
La fabrication des produits par des chimistes	artificiel | synthétique
a commencé à se développer au XIVe siècle car les parfums	naturel
coûtaient cher. Néanmoins, les marques utilisent encore	prestigieux
aujourd'hui des fleurs.	vrai
Si un jour, vous allez à Grasse, entrez au Musée de la parfumerie.	international
Vous pouvez y tester les capacités de votre nez, faire un tour olfactif	informatif
de la production et acheter des produits.	précieux.
D'ailleurs, en lisant le roman *Das Parfüm* de Patrick Süskind,	captivant
vous retrouverez le paysage autour de Grasse.	romantique

Adjectif et adverbe : L'adjectif

10. Un peu de mythologie : le comparatif et le superlatif des adjectifs

Complétez les phrases afin d'avoir un comparatif ou un superlatif en tenant compte des symboles + − = et de l'adjectif indiqué.

A. Comparatif

Adonis assassiné

a. + *beau*

Adonis est _____ _____ que Mars, qui l'a tué.

b. − *fort*

Hector est _____ qu'Achille, qui a tué Hector pendant la guerre de Troie.

c. = *jaloux*

Héra est _____ _____ qu'Athéna, car Pâris a désigné Aphrodite comme la plus belle déesse.

Pâris donne la pomme à Aphrodite qu'il a élue.

d. − *important*

Poséidon et Hadès sont _____ que Zeus. Ce sont trois frères dont le premier est responsable de la mer, le deuxième des enfers et le dernier est considéré le chef et le dieu du ciel.

e. = *complexe*

Les dieux romains sont _____ que les dieux grecs. Ils portent des noms différents, mais leur caractère est presque pareil. Zeus devient Jupiter, Héra est Junon et Aphrodite est appelée Vénus.

Atlas

Sisyphe

f. + *lourd*

Le poids qu'Atlas doit porter est _____ que celui de Sisyphe (= Sisyphos). Atlas porte le ciel entier tandis que Sisyphe doit rouler « uniquement » une énorme pierre qui redescend dès que Sisyphe atteint le sommet (= Gipfel).

B. Superlatif

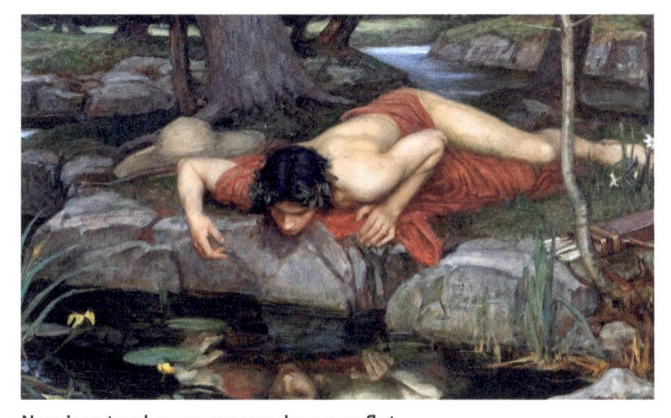

Narcisse tombe amoureux de son reflet.

a. + *amoureux*

Narcisse est _____ _____ de lui-même. Par conséquent, il meurt en regardant son propre reflet dans l'eau.

b. − *bavard*

Écho, la nymphe des montagnes, est _____ de toutes les nymphes parce que Héra l'a punie en lui volant la parole. Pour cette raison, Écho peut uniquement répéter les derniers mots qu'elle a entendus. Sa voix est tout ce qui est resté d'elle.

Adjectif et adverbe : L'adjectif

c. *premier*

   Pyrame et Thisbé pourraient être considérés comme _____ version d'une histoire d'amour impossible à laquelle suivra plus tard la légende de *Roméo et Juliette*.

d. *bon*

   _____ symbole de la mythologie grecque est le Cheval de Troie (= Trojanische Pferd) qui a changé le cours de la guerre. Encore aujourd'hui, ce symbole est souvent utilisé. Même en informatique, on utilise le terme « cheval de Troie informatique » (= Trojaner) en parlant d'un logiciel malveillant appelé « malware ».

   Le Cheval de Troie

e. *mauvais*

   Les aventures _____ étaient celles d'Ulysse (= Odysseus) qui, après la guerre de Troie, a dû traverser les mers pendant plus de dix ans avant de retourner dans sa patrie. Ce long voyage décrit dans l'*Odyssée* d'Homère (= Homer) trouve partout ses adaptations modernes – même dans les *Simpson*. D'ailleurs, le terme « odyssée » est utilisé fréquemment quand on se réfère à un très long voyage.

   Ulyssee entend le chant des syrènes.

L'adverbe

1. Formation de l'adverbe

Formez les adverbes à partir des adjectifs.

Masculin	Féminin	Adverbe
a. régulier	régulière	
b. définitif	définitive	
c. dernier	dernière	
d. absolu	absolue	
e. grand	grande	
f. bruyant	bruyante	
g. malheureux	malheureuse	
h. joli	jolie	
i. furieux	furieuse	
j. doux	douce	
k. gentil	gentille	
l. spontané	spontanée	
m. fou	folle	
n. actif	active	
o. constant	constante	
p. ambitieux	ambitieuse	
q. vrai	vraie	
r. profond	profonde	
s. musical	musicale	
t. net	nette	
u. patient	patiente	
v. immense	immense	
w. bref	brève	
x. élégant	élégante	
y. ponctuel	ponctuelle	

2. À vos marques ! Prêts ? Partez !

Remplissez le schéma aussi vite que possible. Cherchez pour chaque verbe ou adjectif un adverbe adapté.
Attention : choisissez un adverbe différent pour chaque boîte.

Alternatives :
1. *Faites une petite compétition contre un collègue. Qui remplit le schéma le plus vite ?*
2. *Faites l'exercice à deux à voix haute.*

voir p. 68 à 71

parler	calculer	laver	torturer	finir
dormir	marcher	nager	danser	courir
penser	drôle	regarder	se déguiser	écouter
écrire	s'asseoir	chanter	sortir	lire
porter	travailler	se disputer	boire	intelligent

3. Adjectif ou adverbe ? À compléter !

A. Ajoutez « bon » ou « bien »

a. Il a donné une réponse.

b. Je n'ai pas dormi.

c. C'est compliqué.

d. Elle a travaillé.

e. J'aime cette soupe.

f. Tout se passe…

B. Ajoutez « mauvais » ou « mal »

a. Il supporte le bruit.

b. J'ai fait un rêve.

c. Jean parle l'italien.

d. Quel goût !

e. Les danseurs dansent sur scène.

f. Je trouve que cette musique est…

Adjectif et adverbe : L'adverbe

C. Ajoutez « horrible » ou « horriblement » à la phrase.

a. J'ai entendu des cris.

b. François est un homme laid.

c. Aurélie a peur.

d. Il a écrit ce roman.

D. Ajoutez « fort » ou « fortement » ou « profond » ou « profondément » à la phrase.

a. Pierre frappe à la porte.

b. Je n'ai pas dormi sur le sofa.

c. Je me suis tenu dans le bus pour ne pas tomber.

d. Le Grand Canyon est très connu.

e. Une personne n'a pas toujours beaucoup de muscles.

4. Très et beaucoup

Insérez « beaucoup » ou « très ». Il faut intégrer un seul mot par phrase !

a. J' _____ ai _____ faim _____.

b. Pierre _____ doit _____ lire _____.

c. Manuel _____ passe _____ trop _____ de temps _____ à l'ordinateur.

d. Les nouveaux _____ films _____ au cinéma _____ me plaisent _____.

e. Nous _____ allons _____ souvent _____ à la piscine _____.

f. Elian _____ marche _____ toujours _____ vite.

g. Fanny _____ fait _____ rarement _____ ses devoirs.

h. Si _____ je vais _____ à la Coop, _____ j'achète _____ toujours _____.

5. Traduction – très et beaucoup

Traduisez les phrases suivantes.

a. Nach dem ersten Schultag stellt sich der junge Lehrer *viele* Fragen und denkt über seine neue Klasse nach: Die neuen Schüler scheinen *sehr* angenehm. Sie gefallen mir *sehr*. Wenn sie *so* nett bleiben, werden wir uns *sehr* amüsieren.

_____

_____

_____

_____

_____

_____

b. Auch die Schüler überlegen und vergleichen ihren neuen Lehrer mit dem ehemaligen Lehrer: Unser neuer Lehrer ist *äusserst* sympathisch. *Sehr* oft ist der ehemalige Lehrer *sehr* böse geworden. Wir fanden ihn *sehr* oft *wirklich* aggressiv. Das hat uns *regelmässig sehr* überrascht.

c. Réflexions linguistiques:
   Souvent on utilise des adjectifs en combinaison avec le verbe «être».
   Exemple: Il *est* jeune.
   Avec quels autres verbes peut-on également utiliser des adjectifs?

d. Comment traduit-on le mot allemand «sehr» en français? Quand est-ce qu'on utilise les deux mots différents?

6. La 1A à Colmar – adjectif ou adverbe

**Complétez en mettant les adjectifs ou les adverbes à la bonne place.
Attention : si nécessaire, changez la préposition.
Plusieurs variantes sont possibles.**

La prof a proposé à la 1A de faire une excursion à Colmar	1. schön
où ils pouvaient visiter la ville et découvrir	2. lange
les cinq marchés de Noël en ville.	3. überall
En décembre, la 1A est partie en train. Arrivés à Colmar,	4. früh
ils ont dû faire des interviews en français avec des habitants.	5. klein
Melis avait peur et était pessimiste	6. sehr | 7. ziemlich
à l'idée de trouver des personnes.	8. sympathisch
Il y avait des personnes au marché,	9. enorm
mais quelques-unes préféraient se promener	10. langsam
et regarder les étals (= Marktstände) qui étaient décorés.	11. aufmerksam
	12. hübsch
Mais après avoir demandé à plusieurs passants,	13. höflich
tous les élèves ont pu faire leurs interviews avec des Français.	14. schlussendlich
Après, la classe a fait une visite guidée de la ville, mais	15. interessant
quelques élèves avaient froid. Par conséquent,	
tous sont allés manger une tarte flambée.	16. typisch
Ensuite, les élèves sont partis acheter des cadeaux pour Noël.	17. viel
À la fin de la journée, tous sont allés patiner	18. elegant
à la patinoire qui se trouve sur la place Rapp.	19. klein
En plus, on a fait des photos pour garder des souvenirs de	20. genügend | 21. gut
cette journée scolaire.	22. anders

Adjectif et adverbe : L'adverbe

7. B. B. King – adjectif ou adverbe

Complétez le texte sur le musicien B. B. King, inspiré du documentaire *B. B. King – The Life of Riley* avec des adjectifs ou des adverbes.

Choisissez un mot à insérer parmi les mots dans les boîtes ci-dessous et mettez-le à la forme appropriée.

Attention aux adjectifs : le chiffre est toujours placé devant le substantif, mais, comme vous savez, la place varie selon l'adjectif. Donc, réfléchissez non seulement à la forme, mais également à la bonne place de l'adjectif.

voir p. 64 à 71

A. Introduction

général   propre   évident   vrai   dur   musical   terrible   court   simple

B. B. King est surnommé [1] « the king of blues », le roi du blues. [2] ce n'était pas son [3] nom. Le « B. B. » provient d'une [4] version de « Boy from Beale Street, Blues Boy » ou [5] « Blues Boy » et « King » correspond d'une part à son [6] nom et de l'autre à son [7] génie. Riley Benjamin King est né en 1925 dans le Mississippi aux États-Unis lorsque les noirs étaient encore [8] exploités malgré l'abolition (= Abschaffung) de l'esclavage (= Sklaverei).

B. B. King a, lui aussi, travaillé [9] dans une plantation (= Plantage) de coton.

The king of blues

B. Le blues, le type de musique

| misérable unique principal quotidien personnel violent entier délicat |
| par conséquent habituel (= gewöhnlich) très mieux bien bon |

B. B. King a dit à propos de sa musique : « It's all about the feeling. » Cela veut dire que la [10] chose, selon lui, est l'émotion qu'on transmet. Le blues parle de la souffrance des Noirs exploités. Le blues est né de la [11] condition des travailleurs des plantations. [12] en travaillant, il était possible et permis de chanter.

[13], ils travaillaient du « can » au « can't », ce qui veut dire du lever du soleil, lorsqu'on pouvait voir, jusqu'au coucher du soleil où on ne pouvait plus voir et [14] plus travailler. Les Noirs travaillaient six jours par semaine, B. B. King lui-même avait commencé déjà à l'âge de 7 ans. Il a calculé que [15], ils marchaient 48 miles par jour avec l'âne qui trainait la charrue (= Pflug). D'après B. B., pendant les dix-huit ans qu'il avait travaillé aux plantations, il aurait fait le tour du [16] monde à pied.

Ce qui a compliqué la [17] situation des Noirs, c'était l'oppression de la part des Blancs. Le [18] Ku-Klux-Klan était né dans la région où avait grandi B. B. Les Noirs avaient [19] peu de droits, ils avaient l'obligation de [20] travailler et d'obéir aux Blancs. B. B. a décrit la situation ainsi : « Kill a nigger, hire another one. » Donc, la situation dans laquelle vivait B. B. laissait peu de [21] possibilités aux Noirs.

Ceci nous permet de [22] comprendre pourquoi le blues, chant de la souffrance, est né. B. B. lui-même a affirmé : « I sing the blues, because I lived it. » Il chante le blues, parce que cela correspond à sa vie et à ce qu'il a vécu.

Parmi les religieux, le blues était pourtant considéré comme la « musique du diable » puisqu'on ne chantait pas à propos de Dieu, mais à propos du [23] sort (= Schicksal) des Noirs.

C. La jeunesse de B. B. King

> impatient petit vieux terrible énorme seul mensuel premier premier spécial final correct correct

Comme déjà mentionné préalablement, Riley B. King, alias B. B. King, est né dans une plantation. Il habitait avec ses parents dans une [24] maison en bois à l'intérieur de laquelle il pleuvait. À partir de 7 ans, il a commencé à cultiver le coton.

Ses parents se sont séparés, ensuite la mère de B. B. est morte. Il a alors vécu chez sa [25] grand-mère qui est également décédée peu après. À l'âge de 14 ans, B. B. s'est retrouvé totalement [26]. Il a même réglé (= begleichen) les [27] dettes (= Schulden) de 40 dollars de sa grand-mère malgré son petit [28] salaire de 15 dollars.

En 1941, lorsque B. B. avait 16 ans, son patron Cartridge, qui était une bonne personne, lui a acheté sa [29] guitare qui coûtait 15 dollars et B. B. les lui a remboursés.

Plus tard, B. B. a travaillé dans la plantation de M. Johnson Barrett où B. B. a appris à conduire un tracteur, il s'est marié avec sa [30] femme et il a chanté dans différents quartets comme les Saint John Gospel Singers. B. B. attendait toujours [31] les samedis pour aller chanter en ville. Tous les Noirs se réunissaient dans la Church Street à Indianola pour se divertir une fois par semaine.

Un jour, B. B. a causé un accident avec le tracteur et, poussé par une [32] peur, il s'est enfui jusqu'à Memphis. C'est là qu'il a rencontré beaucoup d'autres musiciens, entre autres Bukka White. Bukka White jouait de la guitare avec des « slides » au doigt.
B. B. n'a jamais réussi à jouer [33] avec le « slide » et pour cela, il a commencé à jouer avec un « vibrato » qui est devenu son [34] son (= Klang).
Après huit mois à Memphis, il a appelé [35] sa femme et est retourné chez son chef à qui il a payé les dommages (= Schaden) du tracteur. Il s'est dit qu'il retournerait à Mephis, mais la deuxième fois, il le ferait [36].

Adjectif et adverbe : L'adverbe

D. Le succès

> légendaire   peu   non-violent   populaire   amical   difficile   immense   intitulé   enfin
> égal   meilleur   heureux   dernier   grand   au total

Après être retourné à Memphis, il a été payé pour la première fois pour faire de la musique. Il a écrit un « jingle » et il est devenu un [37] DJ à la radio Sixteenth Avenue Grill. C'est à ce moment-là qu'il a commencé à se faire appeler « Boy from Beale Street, Blues Boy ». D'ailleurs, il a publié sa première [38] chanson « Martha King » pour honorer sa femme. En 1952, la chanson suivante « 3 O'Clock Blues » a connu un [39] succès. Il a commencé alors à faire des tournées avec la *B. B. King Band* dans son [40] bus. Il voyageait 365 jours par an, ce que sa seconde femme acceptait [41]. En plus, B. B. n'avait pas le droit de loger dans un hôtel « normal », il devait séjourner dans des hôtels pour Noirs. Une nuit, il a de [42] échappé à la mort, car dans le même hôtel dormait également Martin Luther King, le [43] activiste pour les droits civiques des Noirs. Une bombe a explosé entre les chambres de B. B. King et Martin Luther King, mais [44] personne n'a été blessé.

En cette époque, tout ce que B. B. faisait était couronné de succès. [45] B. B. ne jouait plus uniquement dans des endroits pour Noirs, mais [46] pour les Blancs.

Jusqu'à un [47] âge, B. B. jouait et chantait. En 1997, B. B. King a rencontré le pape Jean-Paul II (= Johannes Paul II) auquel il a offert sa guitare. Le pape l'a remercié et il ne l'a appelé ni monsieur King ni Riley, mais [48] « B. B. », ce qui a touché l'artiste.

Âgé de 80 ans, il a commencé sa [49] tournée européenne, la tournée d'adieu.

En 2015, B. B. King est mort après avoir été classé le 3e [50] guitariste de tous les temps en 2003, avoir reçu une médaille présidentielle de la Liberté de George W. Bush en 2006 et avoir gagné [51] 15 grammys.

Jusqu'à la fin, son but était de toucher les gens et de les faire sourire.

B. B. King offrant sa guitare au pape.

Le comparatif et le superlatif

1. Les quatre types de comparatifs

**Complétez ces comparatifs en tenant compte des symboles + − =.
Attention, il y des comparatifs avec des adjectifs, avec des adverbes, avec des verbes et avec des substantifs.**

voir p. 72

A. Comparatif avec les adjectifs

a. + Les femmes sont _____ *indépendantes* _____ il y a 100 ans.

b. − L'appartement de Joëlle est _____ *grand* _____ celui de Fabienne.

c. = Tobias et Andreas sont _____ *musicaux* l'un que l'autre.

d. + Selon moi, les chiens sont _____ *affectueux* _____ les chats.

e. − Pascal est _____ *aventureux* _____ Yanis.

f. = Les enfants de Sibylle sont _____ *âgés* _____ ceux of Nayla.

B. Comparatif avec les adverbes

a. + Axel court _____ *rapidement* _____ son entraîneur.

b. − Le billet de train coûte _____ *cher* _____ l'essence pour la voiture.

c. = Parfois, les êtres humains traitent encore d'autres personnes *de manière* _____ *inhumaine* _____ pendant le Moyen Âge ou pendant le colonialisme.

d. + La batterie de mon téléphone dure _____ *longtemps* _____ celle de mon ordinateur portable.

e. − L'équipe suisse gagne _____ *souvent* au foot _____ l'équipe brésilienne.

f. = Raphael parle _____ *couramment* l'anglais _____ l'italien.

C. Comparatif avec les verbes

a. + Silviane *lit* _____ toute autre personne que je connais.

b. – Les personnes âgées *dorment* _____ les jeunes.

c. = Pendant toute la comédie musicale, Sacha *danse* _____ il chante sur scène.

d. + Généralement, les femmes *parlent* _____ les hommes.

e. – Jeanne *aime* _____ lire _____ écrire.

f. = Il me semble parfois qu'Olivier *voit* _____ bien _____ un aigle.

D. Comparatif avec les substantifs

a. + Nola fait _____ *sport* _____ son petit ami.

b. – Mia regarde _____ *télé* _____ *films*.

c. = Gabriel a _____ *talent* _____ Marius.

d. + Camille a 56 animaux. Elle a _____ *animaux* _____ amis.

e. – À Berne, il y a _____ *touristes* _____ à Paris.

f. = Léo achète _____ *vêtements* _____ sa femme.

Adjectif et adverbe : Le comparatif et le superlatif

2. Le superlatif

Créez des superlatifs avec « le plus » ou « le moins ».
Traduisez le mot allemand afin de compléter le superlatif.

a. + alt   Élisabeth, Marguerite et Adélaïde habitent à la maison de retraite (= Altersheim). Toutes les trois sont très âgées, mais Marguerite est ___la plus vielle___ des trois.

b. − salzig   Le chef de cuisine semble être amoureux. Il a mis trop de sel partout, au poulet, aux légumes et au riz. Ce qui est ___le moins salé___ est la soupe.

c. + gut   Justin Bieber, Justin Timberlake et Ed Sheeran dansent tous assez bien, mais Justin Timberlake danse ___le plus meilleur___ (mieux).

d. − streng   Les parents de Julie et d'Ellen ne sont pas très ___sévères___, mais les parents de Nora sont ___les moins sévères___.

e. + gut   Lionel Messi, Cristiano Ronaldo et Neymar sont _____
   + schnell   footballeurs, mais Lionel Mess est celui parmi les trois qui court _____ , selon mes amis.

f. − schlecht   Mes meilleures amies Sandra et Simone ne savent pas bien dessiner. Mais c'est moi qui dessine _____ .

g. + süss (doux)   À la ferme de mon oncle, il y beaucoup de petits animaux, ils sont tous des nouveau-nés. J'adore tous les chiens, les chats, les lapins et les petits veaux. Mais ___les plus mignons___ sont les petits chevaux qui ne savent pas encore bien utiliser leurs jambes.

h. + meisten   L'été dernier, entre amis, nous avons fait une compétition de sauts dans la
   − elegant   mer depuis des rochers. Nous avons ri _____ du saut d'André parce qu'il a sauté _____ .

i. − schwer   Des treize bébés nés hier à l'hôpital de Bâle, le petit Nicolas était _____ de tous avec ses 2850 grammes.

voir p. 73 (p. 67 et 69)

3. Des personnes bien différentes

Voici trois collaborateurs d'un journal. Les trois sont très différents.
Écrivez 10 phrases en utilisant le comparatif et le superlatif.
Variez vos comparaisons (verbes, substantifs, adverbes, adjectifs).

voir p. 72 et 73

CHANTAL
– écrit très bien
– travaille quarante heures par semaine
– travaille de manière très précise
– a trois hobbys
– est toujours de mauvaise humeur
– produit douze articles par semaine
– n'est pas créative
– est plutôt intelligente
– corrige toujours les autres
– interviewe mal les gens
– est antipathique
– est extrêmement appliquée
– fait peu de fautes de formatage
– arrive à 9 heures
– a vingt-trois années d'expérience

XAVIER
– écrit assez bien
– travaille soixante-dix heures par semaine
– travaille de manière imprécise
– a un seul hobby
– est toujours de bonne humeur
– produit vingt-trois articles par semaine
– est plutôt créatif
– est intelligent
– corrige rarement les autres
– interviewe des gens
– est sympathique
– est moyennement appliqué
– fait trop de fautes de formatage
– arrive tôt au travail
– a sept années d'expérience

MANUEL
– écrit mal
– travaille trente-quatre heures par semaine
– travaille de manière très imprécise
– a sept hobbys
– est indifférent à tout (= gleichgültig)
– produit deux articles par semaine
– est extrêmement créatif
– est un génie
– ne corrige jamais les autres
– interviewe assez bien les gens
– est sympathique
– est plutôt paresseux
– ne fait pas de fautes de formatage
– arrive tard au travail
– a aussi sept années d'expérience

Adjectif et adverbe : Le comparatif et le superlatif

4. Le tour du monde

Complétez le texte ci-dessous avec les comparatifs ou les superlatifs. S'il y a des parenthèses, traduisez ce qui est écrit entre parenthèses.

A. L'histoire du tour du monde

Le livre qui a inspiré _____ personnes à faire un tour du monde est le livre *Le tour du monde en 80 jours* écrit par Jules Verne. Ce n'est pas le livre _____ lu de la littérature française, mais c'est un livre dont on a fait _____ films _____ de d'autres livres. Il y a un film animé qui dure 47 minutes et qui est _____ long _____ les deux films d'Hollywood. Celui de 2004 avec Jackie Chan est _____ proche du livre _____ celui de 1989 avec Pierce Brosnan et Peter Ustinov.

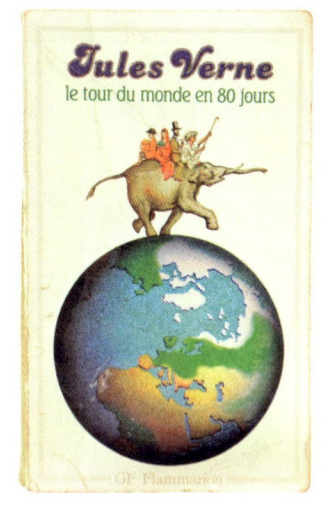

Jules Verne et son roman *Le tour du monde en 80 jours*

L'histoire des tours du monde est vieille. _____ (erste) personne qui a fait le tour en bateau était le Portugais Ferdinand Magellan. Cinq bateaux sont partis avec deux cent quarante-quatre personnes en 1519. Après deux ans, onze mois et deux semaines, un seul bateau est retourné avec uniquement dix-huit survivants. Malgré les pertes, _____ (erste) tour du monde avait été fait ! Beaucoup d'expéditeurs ont suivi l'exemple de Magellan, avec _____ pertes et en employant parfois _____ (gleich viel) temps ou parfois _____ (weniger) temps.

Adjectif et adverbe : Le comparatif et le superlatif

C'est effectivement avec le roman de Jules Verne *Le tour du monde en 80 jours*, publié en 1872, que la volonté de voyager est devenue encore _____ en vogue (= in Mode). Depuis, les aventuriers ont essayé de faire le tour du monde de différentes manières.

En 1884 par exemple, le journaliste Thomas Stevens a fait le tour du monde à vélo. Il a voyagé _____ rapidement _____ ceux en voiture ou en avion. Mais il avait été quand même _____ rapide _____ celui qui a fait le tour du monde à pied. Vous direz peut-être que c'est la personne _____ (die verrückteste Person) qui existe. Le Canadien Jean Béliveau a exécuté _____ (am wenigstens) rapidement son tour du monde.

Le tour du monde _____ (der schnellste) a été fait par un avion Concorde en 1995 en seulement 31,5 heures. Cet avion volait _____ rapidement possible sans être une fusée : à 1405 km/h.

Le vol _____ (weiteste) ou, en d'autres termes, la distance _____ (längste) avait été effectuée par Bertrand Piccard dans un ballon en 1999. Il a parcouru 45 755 kilomètres, ce sont _____ kilomètres que les autres tours du monde. D'ailleurs, en 2016, le Suisse a également effectué _____ (letzte) tour du monde en l'air. Il l'a fait dans son avion solaire *Solar Impulse 2*.

Les deux réalisations d'Hollywood, de 1989 et 2004

B. Les durées

Dans ce schéma figurent les différentes durées des premiers tours du monde, ainsi que le moyen de transport. Formulez aux moins six phrases différentes en utilisant des comparatifs ou des superlatifs.

Moyen	Année	Durée	Qui
En bateau	1517	2 ans 11 mois 2 semaines	Ferdinand Magellan Juan Sebastian Elcano
À vélo	1884	7 ans 7 mois 3 semaines	Thomas Stevens
En avion	1924	175 jours	US Air Force
En voiture	1927	2 ans 1 mois	Clärenore Stinnes Carl-Axel Söderström
En ballon	1999	19 jours 21 heures 47 minutes	Bertrand Piccard Brian Jones
À pied	2000	4077 jours = 11 ans	Jean Béliveau

Varia

Tout

1. Toutes sortes de variantes de « tout »

Notez la bonne forme de « tout » qui complète la phrase.

a. Presque _____ les personnes aiment le chocolat.

b. Mon ami a de petits chats qui sont _____ mignons.

c. _____ l'été, je serai au Maroc.

d. Ivan connaît la capitale de _____ les pays.

e. Ma femme adore _____ la famille. Elle invite toujours _____ ses frères et sœurs, _____ ses tantes et _____ ses oncles. Bref, elle aime _____ le monde.

f. _____ change et _____ changent. Rien ne reste pareil.

g. J'ai fait _____ ce que tu m'as demandé de faire.

h. Notre chien est _____ nerveux si nous partons en voyage. Il n'aime pas du _____ voyager.

i. Lequel des deux chanteurs est-ce que tu aimes le plus ? – J'aime _____ les deux.

j. Les stéréotypes regroupent _____ les femmes et _____ les hommes, mais en réalité, nous sommes _____ très différents. Il faudrait être _____ content de nos différences et les apprécier _____ .

2. Traduction

Traduisez les phrases suivantes en français.

a. Milo will alles ausprobieren.

b. Elena ist ganz motiviert.

c. Alles kostet etwas. Alle Aktivitäten, alle Gegenstände (= Objekte), das ganze Essen.

d. Anja und Lydia sehen sich alle Filme im Kino an.

e. Jeden Tag machen Devrim und Gero Sport.

f. Alle wollen immer das Beste für sich.

g. Das Baby ist total süss und ganz klein.

h. Alle haben mir zur Matura gratuliert.

i. Ich habe das ganze Fondue mit allen Brotstücken ganz alleine gegessen. Jetzt bin ich total satt (= rassasié).

j. Marianne ist wirklich egoistisch. Sie hat alles gegessen. – Was?? Hat sie alle Spaghetti gegessen? – Ja, alle. Und auch die ganze Nutella.

Pays et villes

1. Comme c'est beau de voyager

Complétez les phrases avec les prépositions.

a. Cet été, nous irons _____ Amérique du Sud, plus précisément _____ Brésil, _____ Pérou et _____ Bolivie.

b. Je vais d'abord _____ San Francisco, _____ Amérique. – Tu dois être plus précis, ce n'est pas l'Amérique. Tu vas _____ États-Unis.

c. Ma meilleure amie est née _____ Istanbul, _____ Turquie.

d. Je passe mes vacances au bord de la mer _____ Bretagne.

e. J'aimerais voyager _____ Maroc et faire un tour à travers le désert à dos de chameau (= Kamel).

f. _____ Inde, on peut découvrir des palais extraordinaires. _____ Agra, par exemple, on peut visiter le Taj Mahal.

g. Est-ce que tu savais qu'_____ Cuba, il y a énormément de vieilles voitures des années 1950, à cause d'un embargo.

h. Le volcan Etna se trouve _____ Sicile. Sur l'Etna, on peut skier et voir la mer en même temps.

i. Avec mon copain, je suis allée _____ Corse où est né Napoléon Bonaparte. Plus précisément, il est né _____ Ajaccio, la capitale de la Corse, qui compte environ 68 500 habitants.

j. À côté du Kremlin, _____ Moscou, _____ Russie, se trouve le fameux Théâtre Bolchoï. Il s'agit du meilleur ballet au monde, d'après ce qu'on dit.

k. Le Mont-Saint-Michel, situé _____ Normandie, est un patrimoine mondial de l'UNESCO. Selon la marée (= Gezeiten), on peut rejoindre l'île à pied ou y accéder par bateau ou via un pont.

l. _____ la Rochelle, chaque année, a lieu la fête du port. Jusqu'au XVe siècle, ce port était le plus grand de tout l'Atlantique.

Varia : Pays et villes

2. Pays, peuples, langues et traditions

**Complétez avec la préposition correspondante.
Ensuite, reliez le lieu avec l'une des traditions.**

voir p. 77

a. _____ Thaïlande,
b. _____ Islande,
c. _____ Japon,
d. _____ Irlande,
e. _____ Italie,
   _____ Rome,
f. _____ Suède,
g. _____ Pays-Bas,
h. _____ Portugal,
i. _____ Soudan,
j. _____ New York,

1. on porte des « Klompen », des chaussures en bois.
2. on fête la nuit de Walpurgis, appelée « Valborgsmässafton » (= Walpurgisnacht), pour célébrer la fin de l'hiver.
3. il y a 154 pyramides, comme en Égypte, et personne ne le sait.
4. on nage dans la mer le jour du nouvel an – cela porte chance.
5. les habitants mangent du requin fermenté (fermentierter Hai).
6. lors du St. Patrick's Day, tout le monde s'habille en vert pour fêter le saint patron (= Schutzpatron) du pays.
7. il ne faut jamais toucher la tête d'une autre personne.
8. il faut porter un maillot de bain imperméable si on va à la piscine.
9. lorsque McDonald's a ouvert le premier restaurant, des manifestants (= Demonstranten) ont distribué des assiettes de pâtes aux gens.
10. on se trouve plus au sud que dans la capitale italienne.

a. + _____
b. + _____
c. + _____
d. + _____
e. + _____
f. + _____
g. + _____
h. + _____
i. + _____
j. + _____

3. Connaissez-vous toutes les capitales des pays ?

Complétez les phrases par « du », « de la », « de l' » ou « des » d'après le pays.

a. Ouagadougou est la capitale _____ Burkina Faso (m.).

b. Yamoussoukro est la capitale _____ Côte d'Ivoire (f.).

c. Suva est la capitale _____ îles Fidji (f. pl.).

d. Tiflis est la capitale _____ Géorgie (f.).

e. Tegucigalpa est la capitale _____ Honduras (m.).

f. Tarawa-Sud est la capitale _____ république des Kiribati (f.).

g. Moroni est la capitale _____ Comores (f. pl.) (= Komoren).

h. Antananarivo est la capitale _____ Madagascar (m.).

i. Majuro est la capitale _____ îles Marshall (f. pl.).

j. Nouagchott est la capitale _____ Mauritanie (f.) (= Mauretanien).

k. Dili est la capitale _____ Timor oriental (m.) (= Osttimor).

l. Riyad est la capitale _____ Arabie Saoudite (f.).

m. Funafuti est la capitale _____ Tuvalu (m. pl.).

n. Abu Dhabi est la capitale _____ Émirats arabes unis (m. pl.).

4. La langue française dans le monde

Traduisez les phrases suivantes.

a. Es gibt viele Länder, in denen Französisch gesprochen wird. Man spricht es in der Schweiz, in Frankreich, in Quebec in Kanada und in mehreren afrikanischen Ländern. Wusstest du, dass man in Senegal und in Kamerun ebenfalls Französisch spricht? In Wirklichkeit sprechen weltweit 274 Millionen Menschen Französisch. Es ist die Muttersprache von rund 76 Millionen Menschen. Die französische Sprache gilt als (être considéré) Weltsprache, weil sie auf allen Kontinenten gesprochen wird.

b. Französisch ist eine nationale Sprache in 29 Ländern. Unglaublich, oder? Alle wissen, dass Belgier, Marokkaner und Kanadier Französisch sprechen. Aber wusstest du, dass es auch in Mauritius, in den Vereinigten Staaten von Amerika oder in Mali gesprochen wird? Sogar in unserem Nachbarland, in Italien, sprechen einige Italiener diese romanische Sprache.

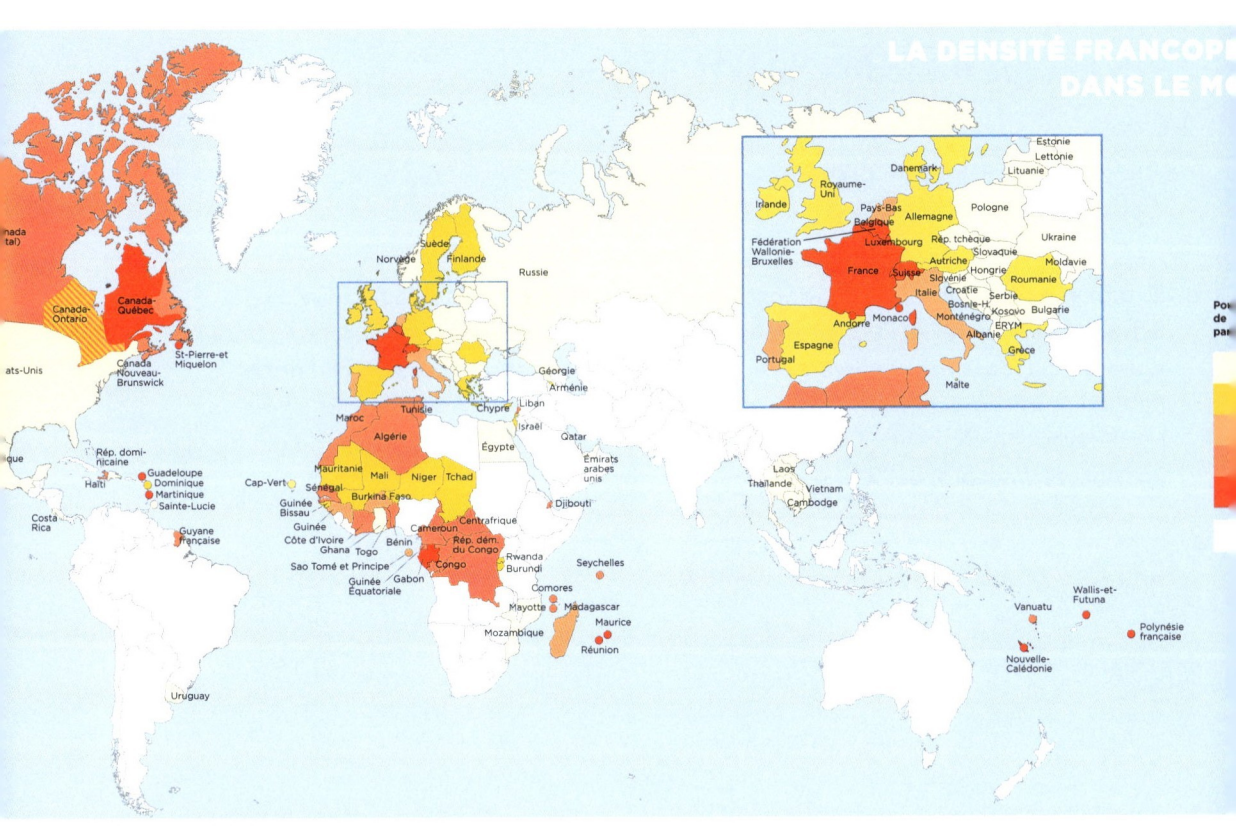

La langue française dans le monde

c. Französisch ist heute noch immer die zweite diplomatische Sprache. Zudem ist es, mit dem Englischen, Arbeitssprache der Vereinten Nationen (= l'Organisation des Nations unies). Die Vereinten Nationen haben sechs offizielle Sprachen: Englisch, Französisch, Arabisch, Chinesisch, Spanisch und Russisch. Nur Englisch und Französisch sind jedoch Arbeitssprachen. Natürlich ist die französische Sprache auch eine der offiziellen Sprachen der Europäischen Union.

Expressions de quantité

1. Les images disent plus que 100 mots

Complétez les phrases en décrivant les images.
S'il y a plusieurs lignes, écrivez plusieurs variantes.

voir p. 78 et 79

a.

Elles ont _____ muscles.

Elles ont _____ muscles.

Elles ont _____ muscles.

b.

Il porte _____

(genug) tatouages.

c.

Il y a _____

(einige Touristen).

d.

J'ai mangé _____

(zu viele Pralinen).

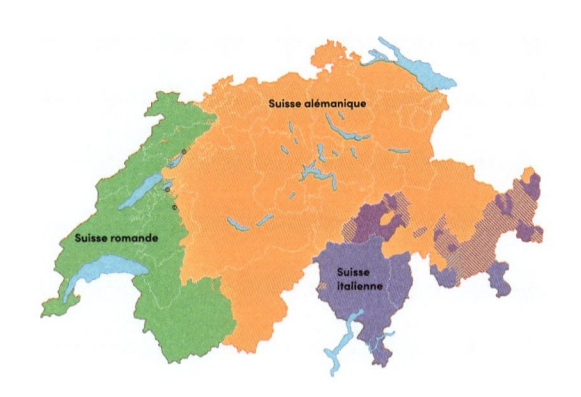

Varia : Expressions de quantité

e.

_____

(Die meisten Schweizer) parlent l'allemand.

_____

(Die meisten Schweizer) parlent l'allemand.

_____

(Die meisten Schweizer) parlent l'allemand.

f.

J'ai besoin _____ farine.

J'ai besoin _____ farine.

g.

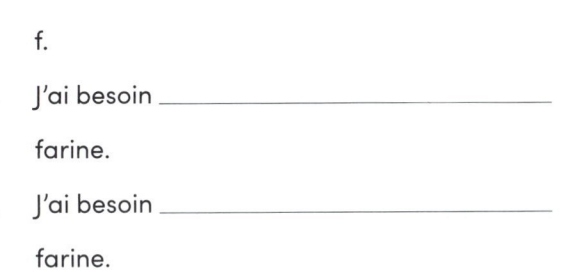

_____

(Es gibt kein) eau potable du robinet.

h.

_____

(Wir machen keine/n) sports d'équipe.

2. Invitation à dîner

Complétez par l'article et / ou la préposition convenable. Parfois la lacune reste vide, mettez alors un —.

voir p. 78 et 79

Alice a invité quelques amis. Elle ne sait pas très bien cuisiner, mais elle veut préparer un bon menu. La plupart _____ plats qu'Alice veut préparer sont faciles, parce qu'Alice ne sait pas très bien cuisiner. Pour l'apéritif, Alice a acheté _____ légumes et _____ houmous (m.) (= Hummus). Elle ne propose pas _____ carottes, parce que son amie Chantal n'aime pas _____ carottes, même si la majorité _____ personnes les aime.
Elle pense aux ingrédients (= Zutaten) pour le plat principal. Il faut _____ bonne viande, _____ miel pour la marinade, _____ nouilles, une douzaine _____ noix et pas mal _____ beurre. Elle a peur de ne pas avoir assez _____ noix qu'elle veut caraméliser et mélanger avec le miel.
Pour le dessert, elle a acheté trois tablettes _____ chocolat noir et _____ poudre de coco. Avec le chocolat et le coco, elle veut préparer six _____ petites tartes. Une mini-tarte pour chaque invité.

Heureusement, Pierre, qui est connaisseur de vins, apportera deux bouteilles _____ vin blanc et aussi des cannettes (= Dose) _____ bière pour les personnes qui préfèrent la bière.

Peu _____ temps avant l'arrivée des amis, Alice a tout préparé. Elle se repose un peu et pense : « Pour préparer un bon menu, il faut _____ courage, _____ discipline, _____ idées et aussi _____ chance pour que tout réussisse bien. »

3. Traduction

Traduisez les phrases suivantes en faisant attention aux expressions de quantité.

voir p. 78 et 79

a. In den Ferien habe ich Fotos von einigen Häusern gemacht. Die meisten Fotos habe ich auf Korsika gemacht.

b. Für meinen Schokoladenkuchen brauche ich drei Eier, Milch, ein halbes Kilo Schokolade und ein wenig Zucker. Und man braucht auch Geduld, die ich nicht immer habe.

c. Madeleine ist eine kleine Diva, sie will immer alles und sofort.
Sie will Aufmerksamkeit, keinen Stress, eine Million « Likes » auf Facebook, viele Freunde um sich und Snickers gegen den Hunger.
Man muss wirklich Geduld haben, um sie zu ertragen.

4. Ma valise est trop petite…

Complétez par l'article et / ou la préposition qui convient.

Joy et sa copine Delia partent en voyage et doivent préparer leurs bagages. Comme d'habitude, Joy a vite fini sa valise, mais Delia veut emporter beaucoup trop _____ choses. Avec elle, il faut _____ patience et _____ temps.

Elle prépare _____ vêtements pour chaque occasion : pour le mauvais temps, pour le beau temps, contre la pluie, _____ belle jupe pour sortir le soir, quatre paires _____ chaussures et un tas _____ autres choses.

Joy n'a presque plus _____ patience car il veut que Delia finisse vite ses préparatifs. Delia argumente qu'au moins elle sera prête pour toutes _____ occasions. « Il me faut aussi _____ médicaments contre le mal de voyage et des affaires de camping comme _____ lampe frontale (= Stirnlampe), _____ moustiquaire (f.) (= Moskitonetz) et _____ coussin gonflable (= aufblasbar). »

Joy s'énerve et dit à voix haute : « Mais nous ne faisons pas _____ camping !!! Tu n'auras jamais besoin _____ toutes ces choses. Tu remplis ta valise avec énormément _____ trucs (= Sachen) dont tu ne te serviras pas. » Et Delia lui jette un regard plein _____ rage et répond : « Et toi, tu dois toujours acheter _____ vêtements. L'année dernière, nous sommes allés à la mer et tu n'avais emporté ni _____ costume de bain ni _____ lunettes de soleil. » – « Mais la plupart _____ éléments que tu mets dans ta valise sont superflus. » – « Certes, Joy, comme le passeport que tu as oublié il y a deux ans. »

Joy demande : « Combien est-ce que ta valise pèse ? » – « Ce sont 28 kilos _____ vêtements et d'équipement. » – « Mais tu n'as le droit d'emporter que 22 kilos _____ bagages. » – « Mais puisque ta valise ne pèse que 10 kilos, je peux mettre la majorité _____ éléments lourds dans la tienne. » – « Et moi, je dois porter une grande partie _____ objets inutiles et superflus. » Delia éclate de rire, embrasse Joy et lui dit en souriant : « C'est pour cela que je t'emmène en vacances avec moi, mon cher. »

Joy respire profondément et dit : « Avec les femmes, il faut _____ humour (= Humor). »

voir p. 78 et 79

Les questions

1. Les trois variantes de la question

voir p. 80 et 81

Il y a trois possibilités de formuler une question :
- le code parlé qui se sert de l'intonation de la voix ;
- la question avec « est-ce que » ;
- la question avec inversion.

Complétez la boîte avec les deux autres variantes de la question posée.

Code parlé	Est-ce que	Inversion
Tu veux une glace ?		
Vous voulez dîner au restaurant ?		
Tu aimes la fondue ?		
	Est-ce que tu veux venir au cinéma ce soir ?	
		Désirez-vous autre chose ?
Tu fais quoi ?		
Tu as déjà mangé ?		

Varia : Les questions

Code parlé	Est-ce que	Inversion
Pierre est allé à l'entraînement ?		
	Où est-ce que tu pars en voyage ?	
		Quand arrêtes-tu de travailler ce soir ?
Pourquoi tu rentres si tôt ?		
Tu cherches qui ?		
Vous lisez quoi ?		

2. Quel ou lequel ?

Complétez les questions par « quel, quelle, quels, quelles » ou par « lequel, laquelle, lesquels, lesquelles ».

a. _____ est votre niveau de français ?

b. _____ nouveaux vêtements est-ce que tu as achetés aujourd'hui ?

c. S'il te plaît, passe-moi le fromage. – _____ ? Le fromage de chèvre ou le brie ?

d. _____ sont les villes que tu voudrais encore visiter ?

e. _____ des trois pilotes pilotera notre avion ?

f. Est-ce que tu m'accompagnes pour mes sorties d'escalade ? – _____ ? Celles en montagne en Valais ou celles dans des centres d'escalade à l'intérieur ?

g. _____ type de ski est-ce que tu as choisi pour cette saison ?

h. _____ des vins rouges est-ce tu aimes boire ?

i. _____ muscles sont les plus difficiles à entraîner ?

j. Il y a deux chambres d'hôtel différentes. Tu préfères _____ ?

k. Est-ce que tu me prêtes une de tes tentes pour le week-end ? – _____ tente ? – Celle pour deux personnes.

l. _____ noms avez-vous deux choisi pour votre bébé ? – Nous en avons choisi deux. – _____ ?

m. J'ai gagné un prix pour la photo que j'ai prise. – Pour _____ ? – La photo que j'ai faite des rochers et de la mer. – Et _____ prix as-tu gagné ?

3. Une question à la réponse

Formulez des questions aux réponses données.
Formulez des questions avec « est-ce que » ou avec l'inversion.

voir p. 80 et 81

a. _____

Je pars à huit heures ce soir.

b. _____

Mon film préféré est « Le fabuleux destin d'Amélie Poulain ».

c. _____

Celles que tu as faites pendant tes vacances.

d. _____

J'aimerais bien manger le gâteau au chocolat, pas celui aux fruits.

e. _____

Nous rions parce que Caroline a raconté une blague très drôle.

f. _____

Tous mes amis viendront à la fête.

g. _____

J'ai invité tous mes clients au concert.

h. _____

Nous avons ramené du sable des vacances.

i. _____

J'ai acheté celui aux manches (= Ärmel) longues.

4. Les questions incomplètes

Complétez les lacunes afin de formuler des questions complètes.

a. _____ film _____ tu veux aller voir au cinéma ? – Celui avec beaucoup d'action. – _____ ? Il y en a deux.

b. _____ t'accompagne à l'aéroport quand tu pars pour ton tour du monde ?

c. _____ te rend aussi furieux ? C'est _____ application du téléphone qui ne fonctionne pas ?

d. _____ tu rentres de ta course d'école ? Et _____ vous allez, en France ou en Belgique ?

e. _____ tu as envie d'aller au Larry's Bar ce soir ?

f. _____ des trois chansons est-ce que tu aimes jouer le plus avec ta guitare électrique ?

g. Valeria adore les montagnes. – _____ ? – Toutes !

h. Combien de temps _____ devant l'ordinateur à l'école ? Et dans _____ matières scolaires ?

i. Cet après-midi, je vais au zoo pour voir des animaux. – _____ ? – J'aimerais surtout aller voir les singes et les pingouins.

La négation

1. Quel désordre

Arrangez les mots afin de créer une phrase avec négation.

a. mangé / il / ne / rien / a / à midi

b. jamais / je / ne / parlerai / plus / avec elle

c. notre oncle / nous / pas / avons / d'aller chercher / envie / ne / à la gare

d. suis / je / parce que / nulle part / veux / ne / fatigué / aller / je

e. à / ne / a / vieille / personne / femme / aidé / cette

f. ne / cause / soucis / lui / rien / des

g. je / ne / au / loto / que / ai / gagné / 5 francs

h. mon / fait / depuis / mal / épaule / hier / plus / me / ne

i. les / épinards / chou / ni / enfants / ne / mangent / ni

j. ne / motivation / me lever / ai / tôt / aucune / je / à

voir p. 82 à 84

2. La négation simple

Une élève a fait un échange scolaire au Canada. À son retour, les autres élèves lui posent des questions. Répondez par une négation. Prenez en considération les mots en gras pour choisir la bonne négation.

a. Est-ce que tu sais **encore** tous les mots en suisse allemand ?

– Non, je _____.

Au téléphone avec ma famille, j'avais des difficultés à parler parfois.

b. Est-ce que tu as connu aussi **des personnes** antipathiques ?

– Non, _____.

c. Est-ce que tu avais **parfois** le mal du pays (= Heimweh) ?

– Non, je _____.

d. Est-ce que tu es allée **à Banff ou à Calgary** ?

– Non, je _____.

e. Est-ce que tu as rêvé en allemand ?

– Non, je _____ en anglais ou en français.

f. Est-ce que tu nous as apporté un souvenir ?

– Non, excusez-moi, je _____.

g. Est-ce que tu as très bien mangé ?

– Non, je _____.

h. Est-ce que tu es allée **en boîte** le soir ?

– Non, je _____ parce qu'il faut conduire la voiture et je n'en avais pas le droit.

i. Est-ce que quelque chose du Canada t'énervait ?

– Non, _____, j'ai tout adoré.

j. Est-ce que tu as fréquenté des cours de chimie et de physique à l'école ?

– Non, tout le monde _____ matières par semestre. J'ai choisi l'anglais, le français, le sport et un cours appelé « technologie ».

3. Optimiste versus pessimiste

Transformez les phrases en ajoutant des négations afin que les phrases correspondent à un optimiste ou à un pessimiste.
Faites attention au mot souligné et essayez d'en dire le contraire.
Parfois plusieurs variantes sont possibles. Est-ce que vous les trouvez toutes ?

voir p. 82 à 84

Un **optimiste** dit :	Un **pessimiste** dit :
La vie est difficile. Exemple : *La vie n'est pas difficile.*	La vie est belle. Exemple : *La vie n'est pas belle.*
Je dis <u>encore</u> de gros mots.	Tout m'amuse.
J'ai <u>toujours</u> sommeil.	Je sors <u>tous</u> les soirs.
Je déteste les chiens et les chats.	J'aime les fruits et les légumes.
Tout me semble ennuyeux.	<u>Chaque</u> personne m'est sympathique.

Un **optimiste** dit :	Un **pessimiste** dit :
Tout le monde m'énerve.	J'étudie <u>encore</u> pour <u>toujours</u> m'améliorer.
Je vois toutes les fautes des autres.	Je vois <u>tous</u> les aspects positifs du travail.
Tout va mal.	Je voyage <u>partout</u> pour découvrir <u>quelque chose</u> de nouveau.
Je vais <u>partout</u> tout seul.	J'ai beaucoup d'amis.
J'exige <u>toujours</u> de <u>tout le monde</u> ce qu'ils sont incapables de donner.	Je veux <u>toujours</u> <u>tout</u>.

4. Relions deux phrases à l'aide de l'infinitif

Transformez les phrases selon l'exemple :
Il ne peut pas partir en vacances. Il en est triste. → Il est triste de ne pas pouvoir partir en vacances.

a. Mon père ne peut plus faire de sport. Il en est triste.

b. Les élèves n'ont jamais fait les devoirs. Ils le regrettent.

c. Je ne vais nulle part le soir. J'en suis fort triste.

d. Bernadette n'a pas obtenu le cadeau désiré. Elle en est déçue.

e. Floriane n'a vu que la fin du film. Elle en est fâchée.

f. Daniel n'aime ni le hors-d'œuvre ni le plat principal. Il en est désolé.

g. Martin ne lit jamais rien. Il se sent coupable.

h. Je n'ai invité personne lors de mon anniversaire. Je le regrette.

i. Astrid ne ment jamais. Elle en est fière.

5. Mon petit ami a beaucoup changé

Transformez les phrases positives en phrases négatives avec les indications entre les parenthèses. Remplacez également l'imparfait par le présent.

a. Mon petit ami m'emmenait toujours au cinéma ou au concert. (nie mehr / weder noch)

b. Mon petit ami faisait confiance à tout le monde. (niemandem mehr)

c. Tout le monde le respectait puisqu'il souriait souvent. (niemand / fast nie)

d. Il gagnait 200 euros par mois et il achetait toujours quelque chose à sa mère. (nur noch 50 Euro / nie etwas)

e. Tout lui plaisait, il allait partout avec ses potes. (nichts / nirgends)

f. Il faisait des blagues parce qu'il y avait toujours un ami qui riait. (fast keine mehr / keinen mehr)

6. Négations simples et doubles – à traduire

Traduisez les phrases suivantes.

A. Négations simples : traduisez les phrases suivantes.

a. Niemand schaut ihn an.
___

b. Ich habe nichts Neues gelesen.
___

c. Wir essen weder Fleisch noch Fisch.
___

d. Er will nicht mehr reisen.
___

e. Mein Vater geht nirgendwo hin.
___

B. Négations doubles : traduisez les phrases suivantes.

a. Er sagt nie etwas.

b. Niemand lügt nie.

c. Ich esse nichts mehr heute Abend.

d. Es hat kein einziges Bonbon mehr.

e. Er will nie mehr etwas Negatives hören.

f. Er hat niemanden mehr, weder Familie noch Freunde.

g. Niemand kümmert sich um nichts.

h. Ich schaue nie mehr irgendeinen Hollywoodfilm.

Le discours indirect

1. Une interview – le discours indirect au présent

Zaz, la fameuse chanteuse française, est interviewée.
Voici ses réponses. Mettez-les au discours indirect présent.
Il s'agit ici d'informations prises de vraies interviews et légèrement modifiées.

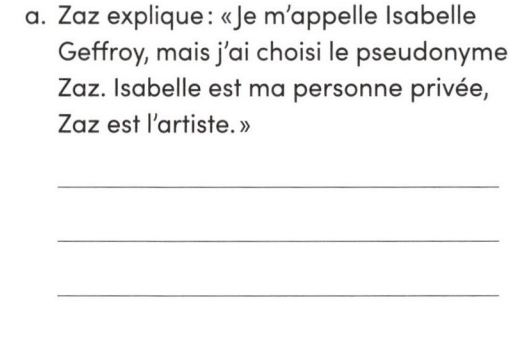

voir p. 86

a. Zaz explique : « Je m'appelle Isabelle Geffroy, mais j'ai choisi le pseudonyme Zaz. Isabelle est ma personne privée, Zaz est l'artiste. »

_____
_____
_____
_____
_____
_____

Zaz au Heitere en 2014

b. Zaz affirme : « Je suis devenue connue en 2010 avec *Je veux*, mais j'avais commencé par chanter dans les rues. »

_____
_____
_____
_____

c. Zaz dit : « Dans la chanson *Je veux*, j'explique mon rapport à l'argent. L'argent devrait être un moyen afin de réaliser des choses et des rêves, mais ce ne sera jamais un but en soi pour moi. »

_____
_____
_____
_____
_____

d. Zaz avoue : « Chaque fois avant d'aller sur scène je dis à moi-même : Fais de ton mieux. Et chante ce que tu sens. »

e. Zaz dit : « Je joue la batterie sur scène, mais je n'ose pas jouer l'accordéon ou la guitare. Les deux instruments m'ont été utiles pour composer des chansons.
Un jour peut-être, je les apprendrai mieux. »

f. Zaz raconte : « J'ai un piercing dans le visage et un tatouage moins visible. En tant qu'adolescente, j'ai essayé de me faire toute seule un piercing au nombril. J'ai mis des glaçons sur mon ventre et j'ai percé le nombril avec une aiguille (= Nadel). C'était une idée terrible. Enfants, ne le faites pas ! »

2. Questions

Tim rencontre Marion et lui pose beaucoup de questions pour mieux la connaître. Formulez des questions au discours indirect.

Tim demande à Marion :	Tim demande...
« Qu'est-ce qui te fait plaisir ? »	
« Où est-ce que tu vas ce week-end ? »	
« Qu'est-ce que tu aimes manger ? »	
« Est-ce que tu étudies ? »	
« Qui est-ce qui te suit sur Instagram ? »	
« Comment est-ce que tu vas à l'école ? »	
« Qui est-ce que tu préfères ? Rihanna, Ariana Grande ou Katy Perry ? »	
« Quel est ton sport préféré ? »	
« Est-ce que tu as un animal domestique ? »	
« Quelle profession veux-tu faire plus tard ? »	
« Qu'est-ce que tu fais après l'école ? »	

3. Titeuf maudit – le discours indirect au présent

Titeuf souffre à l'école à cause de ses camarades.
Essayez de mettre cette bande dessinée au discours indirect. Mettez aussi les bulles (= Sprechblasen) au discours indirect présent sauf pour les images 2 et 3.
N'oubliez pas d'ajouter des verbes qui introduisent le discours indirect et de faire des phrases entières.

4. Les verbes introducteur – le discours indirect au passé

**Mettez les phrases suivantes au style indirect en choisissant UN VERBE INTRODUCTEUR qui ne soit pas « dire ». Insérez chaque fois un autre verbe qui doit être AU PASSÉ.
Changez également, si nécessaire, les indications de temps.**

a. Monsieur Gerlier à son fils : « Nous pourrons aller au zoo demain si tu en as envie. »

b. Hier, le prof aux élèves : « Quelle est la bonne solution ? Si vous avez fait les devoirs, vous devriez connaître la solution. »

c. Pierre à son frère : « Je déteste ranger ma chambre. Fais-le pour moi. Je te donnerai mon dessert ce soir. »

d. Un homme politique au peuple : « Votez pour moi. Si j'étais à votre place, je choisirais un homme qui sache améliorer notre économie et vos salaires. »

e. L'élève au prof : « Hier, j'avais oublié mes devoirs et aujourd'hui, c'est mon chien qui les a mangés. Est-ce que vous ne me croyez pas ? »

f. La mère : « Arrête !! C'est la troisième fois que je le dis. »

g. Le mari à sa femme : « J'ai très faim. Nous pourrions cuisiner quelque chose ensemble maintenant. »

h. Patrice à sa copine : « Je n'ai pas envie de rester ici. Cela me rappelle un moment difficile que j'ai vécu l'année dernière. C'était assez difficile pour moi. »

5. Trop tard – le discours indirect au passé

Mettez les verbes à la forme qui convient.
Ce texte est inspiré librement de *L'Étranger* de Camus.

André a raconté que le soir d'avant, Marie _____ (venir) le chercher et lui _____ (demander) s'il _____ (vouloir) l'épouser. Il a dit que cela lui _____ (être) égal et qu'ils _____ (pouvoir) le faire si elle le _____ (vouloir). Elle a voulu savoir s'il _____ (l'aimer). Il a répondu que comme il l'avait déjà fait une fois, que cela ne _____ (signifier) rien, mais que, sans doute, il _____ (ne pas l'aimer) et qu'il _____ (ne jamais l'aimer) jusqu'à ce moment-là et qu'il _____ (ne jamais l'aimer) dans le futur. Elle a dit qu'André _____ (sembler) bizarre et qu'un jour il la _____ (dégoûter) pour cette raison. Puisqu'André n'a plus rien dit, elle a pris sa main et a dit qu'elle _____ (vouloir se marier) avec lui. André a répondu tout simplement qu'ils le _____ (faire) puisqu'elle le _____ (désirer). Elle lui a avoué qu'elle _____ (appeler) l'église la veille pour réserver au cas où il accepterait.

6. L'aventure canadienne – le discours indirect au passé

Éric est au Canada pour la première fois. Il rencontre Raphaëlle à Montréal. Mettez ce dialogue entier au discours indirect passé.

Éric : C'est une très belle ville, très américaine.

Raphaëlle : Tu le penses à cause des gratte-ciel ?

Éric : Oui.

Raphaëlle : Fais attention, nous, les Québécois, nous ne voulons pas être pris pour des Américains.

Éric : Excuse-moi. Vous parlez les deux langues, le français et l'anglais, non ?

Raphaëlle : C'est vrai. Montréal est une ville bilingue. Même si on parle beaucoup l'anglais à Montréal en ville, la langue officielle du Québec est le français. Tu catches ?

Éric : Que veut dire « catcher » ?

Raphaëlle : Cela veut dire « comprendre ».

Éric : Vous parlez le français, mais vous faites usage de beaucoup de mots anglais. Donne-moi d'autres exemples.

Raphaëlle : Nous disons « sweater ». Le mot « pull » a été remplacé. Nous disons aussi « balayeuse » au lieu d'« aspirateur » et « faire du magasinage » à la place de « faire du shopping ».

Éric : Regarde. C'est quoi cela ? C'est quelque chose à manger ?

Raphaëlle : Cela s'appelle la « poutine ». Ce sont des frites avec du fromage et une sauce brune.

Éric : Est-ce que ça a déjà été mangé ? Cela a l'air assez dégueulasse.

Raphaëlle : Peut-être que la poutine ne paraît pas bonne, mais elle est délicieuse. Tu verras !

Éric : Je ne la mangerai pas.

Raphaëlle : Essaie. Tu seras surpris.

Un repas canadien typique : la poutine

Les deux commandent deux portions.

Éric : Tu as eu raison. C'est très bon. Je ne m'attendais pas à cela. Vous mangez ça souvent ?

Raphaëlle : On la mange assez souvent. Je l'ai mangée hier et la semaine passée. Mais je pourrais la manger presque tous les jours.

Éric : C'était une bonne idée de l'essayer. Mais le fromage me semblait un peu vieux. Il grinçait (= quietschen) entre les dents.

Raphaëlle : C'est normal. Ce fromage est fabriqué à St-Albert en Ontario. Déjà vers la fin du XIXe siècle, les maîtres fromagers fabriquaient un cheddar de grande qualité. Louis Génier et ses partenaires avaient inventé la recette d'un fromage très particulier. Ils ont ouvert une fromagerie dont ils ignoraient qu'elle allait avoir un succès énorme. Ils ont enregistré la fromagerie sous le nom de « The St-Albert Co-Operative Cheese Manufacturing Association ».

Éric : J'aurai oublié ce nom dans cinq minutes.

Raphaëlle : Cette fromagerie est la seule de l'Est ontarien qui est toujours en opération. Les autres ont fermé leurs portes.

Éric : Tu m'as appris beaucoup sur la culture canadienne.

Raphaëlle : Je pourrais continuer jusqu'à demain à te raconter des faits sur le Canada.

Éric : Continue donc. J'aimerais bien mieux connaître le Canada. Si ce n'est pas en Suisse ou en France, c'est ici que je pourrais m'imaginer vivre.

Le passif

1. Formation du passif

Mettez les phrases au passif.

a. Pierre chante quelques chansons. *(present passé)*
   Quelques chansons sont chantées par Pierre.

b. Claudine lisait des livres. *(imparfait passiv)*
   Des livres étaient lu par Claudine

c. Nadia écrirait des poèmes.
   _____

d. Sandra avait fini les devoirs.
   _____

e. Danielle aura arrosé les fleurs.
   _____

f. Les enfants cuisineront des nouilles.
   _____

g. Les élèves ont étudié toute la grammaire.
   _____

h. Mes amis avaient fait une tarte pour mon anniversaire.
   _____

i. Le chef m'a appelé dans son bureau.
   _____

2. Formation du passif – un peu plus complexe

Mettez les phrases au passif.

a. Trois personnes m'attendaient dans la rue.

b. On m'avait proposé un nouveau poste de travail.

c. Leur sourire m'a énormément étonné.

d. Son équipe organisera tout le championnat mondial.

e. L'entreprise vendrait ses produits dans le monde entier si l'entreprise utilisait les matériaux de bonne qualité. (deux verbes au passif !)

f. J'aurais cuisiné tous les légumes si je ne les avais pas oubliés au magasin. (deux verbes au passif !)

g. Tu ne planifieras tout le voyage que maintenant. L'agence de voyage aura déjà réservé toutes les places depuis longtemps. (deux verbes au passif !)

3. Le point de vue des objets d'art

Mettez les deux textes ci-joints au passif en transformant les phrases.
Attention : Pas toutes les phrases peuvent être mises au passif, mais la majorité.

A. *Les coquelicots à Argenteuil* (Das Mohnfeld bei Argenteuil) – un tableau de Monet

Le grand artiste Monet m'a peint en 1873.
Je suis un peu déçu que le public connaisse surtout tous les tableaux avec des nénuphars (= Seerosen). Monet m'appréciait toujours beaucoup. Il a en effet représenté son épouse et son fils sur moi.
Monet m'a présenté pour la première fois en 1874 lors d'un vernisage des impressionnistes. Monet m'avait créé sur une toile assez petite : 50 x 65 cm. Les tableaux avec les nénuphars sont beaucoup plus grands que moi. Mais tout de même : si on me vendait, je coûterais une fortune.
Il y a longtemps, quelqu'un m'a accroché (= aufhängen) dans le Musée d'Orsay à Paris. Ainsi, beaucoup de visiteurs peuvent m'admirer tous les jours.
Heureusement, je ne me sens pas seul. Quelqu'un a accroché certains de mes amis à côté de moi. Monet les avait également peints pendant la même période.

Varia : Le passif

B. *Les trois mousquetaires* – une série de trois livres

Nous sommes l'un des romans les plus connus de la langue française.

Alexandre Dumas a écrit la trilogie. Dumas a appelé la trilogie : *Les trois mousquetaires*, *Vingt ans après* et *Le Vicomte de Bragelonne* ou *L'homme au masque de fer* (= Der Mann mit der eisernen Maske).
Dumas nous a écrits et publiés successivement, en 1844, en 1845 et en 1847. Le public nous a accueillis très vite et les lecteurs nous aimaient. Les éditeurs nous ont imprimés de manière continue après que toutes sortes de personnes nous avaient achetés en librairie.
Encore aujourd'hui, les gens continuent à nous acheter. Ils nous apprécient encore plus de cent cinquante ans après notre première publication. Ils nous mettent dans leurs bibliothèques et ils nous feuillettent (= durchblättern) de temps en temps.
On a fait plusieurs films à partir de notre contenu. Les spectateurs nous appréciaient aussi sur écran. Randall Wallace a réalisé la version la plus connue en 1998 avec Leonardo di Caprio. Di Caprio incarnait un double rôle – celui du roi et celui de l'homme avec le masque.
Nous sommes convaincus : les jeunes et les vieux nous liront encore dans cent cinquante ans.

Varia : Le passif

Les trois mousquetaires : « Un pour tous, tous pour un. »

Le participe présent et le gérondif

1. Du participe présent à la phrase subordonnée

Les phrases qui suivent font usage du participe présent. Créez une phrase subordonnée.

a. Nageant à toute vitesse, Sophie n'a pas pu avancer contre le courant du Rhin.

b. Ayant beaucoup d'expérience, Marie est devenue la cheffe des hôtesses de l'air.

c. La vieille dame, habitant seule dans un appartement, se sent un peu isolée et solitaire.

d. Ayant vendu la maison, la famille Caubet a pu faire un voyage autour du monde sur leur voilier (= Segelschiff).

e. Parlant couramment trois langues, Joschua trouve toujours un nouveau travail.

f. Se sentant très faible, Sabine restera au lit et n'ira pas travailler.

2. L'usage du participe présent

Remplacez les phrases subordonnées (soulignées) par un participe présent.

a. Le chat qui était assis sur la banquette a été chassé par un monsieur qui voulait s'asseoir.

   Étant assis sur la banquette, le chat a été chassé par un monsieur voulant s'asseoir.

b. Des recherches ont prouvé qu'une personne qui sourit souvent a généralement plus de succès dans la vie, puisque la personne est positive.

   Des recherches ont prouvé qu'une personne souriante a généralement plus de succès dans la vie, puisque la personne est positive.

c. Noémie dit qu'elle préfère avoir une vue positive sur toute chose et être optimiste, puisqu'elle se sent mieux ainsi.

d. Tous les gens, qui fixaient uniquement l'écran de leurs téléphones, n'ont pas apprécié les belles décorations.

e. Le flashmob qui se tiendra au centre-ville devrait divertir les passants.

f. Puisque le film avait déjà commencé, nous avons décidé d'aller au restaurant au lieu d'entrer dans le cinéma.

3. Du gérondif à la phrase subordonnée

Les phrases ci-joint font usage du gérondif. Créez une phrase subordonnée.

a. En jouant au basket, je me suis tordu le pied.

b. En regardant les films en version originale, ils me semblent plus drôles parce que les blagues, traduites dans une autre langue, ne fonctionnent pas de la même manière.

c. Julia a eu l'impression d'avoir une influence en politique en remplissant pour la première fois le bulletin de vote (= Stimmzettel).

d. Nous pouvons éviter les embouteillages en choisissant le train au lieu de la voiture pour partir en vacances.

e. En entendant des cris, tout le monde est tout de suite sorti de sa maison.

f. En répétant souvent les mêmes mots ou les mêmes actions, notre cerveau s'y habitue et cela devient une habitude automatique grâce aux transmissions synaptiques fréquentes.

4. L'usage du gérondif

Remplacez les phrases subordonnées (soulignées) par un gérondif.

a. <u>Pendant que nous mangions,</u> nous avons vidé une bouteille de bordeaux.
___
___

b. <u>Lorsqu'il voyageait,</u> il a fait connaissance de sa future femme.
___
___

c. <u>Si on apprend dix minutes par jour une matière,</u> on la sait mieux que si on apprend trois heures de suite.
___
___

d. <u>Quand il cuisine,</u> mon père crée toujours un énorme chaos.
___
___

e. Arnold Schwarzenegger visualisait toujours les muscles actifs <u>quand il s'entraînait</u>.
___
___

f. Il est descendu l'escalier <u>et il sautait</u>.
___
___

5. Traduction – le gérondif

Traduisez les phrases suivantes en utilisant le gérondif pour les parties soulignées.

Tina : Sag, hörst du Musik <u>beim Lernen</u>?

Gresa : Wenn ich etwas für die Schule lerne, dann höre ich keine Musik, aber ich mache es <u>beim Aufgabenmachen</u>. Ich werde abgelenkt von der Musik <u>beim Auswendiglernen</u> und <u>beim Lesen</u>.

Tina : <u>Beim Hören</u> von Musik kann ich mir Fakten besser merken.

Gresa : Egal welche Musik?

Tina : Nein, es muss Musik ohne Text sein. Sonst singe ich, <u>während ich lerne</u>. Und das funktioniert nicht so gut.

Gresa : Hast du auch seltsame Angewohnheiten, wenn du etwas machst <u>und dich sehr anstrengst</u> (= faire des efforts)?

Tina : <u>Beim Rechnen</u> strecke ich immer die Zunge raus. Und ich bewege die Lippen <u>beim Schreiben</u>.

Gresa : Mach dir nichts draus. Alle haben ein paar Ticks (= la marotte). Beobachte die Lehrer. Frau Soguel spielt mit ihrem Ring <u>beim Sprechen</u>. Herr Marquis spuckt (= postillonner) <u>beim Wütendwerden</u> (= se fâcher) und Herr Dalle marschiert <u>beim Erklären</u> der Regeln.

Tina : Du hast recht. Niemand hat keinen Tick <u>beim Arbeiten</u>.

6. Paris et la Cité universitaire – le participe présent ou le gérondif

Modifiez les phrases ci-dessous. Remplacez la partie soulignée par soit un participe présent soit un gérondif.

Après avoir passé trois années à l'université en Suisse, Pascal a décidé de faire un semestre d'études à la Sorbonne à Paris. Puisqu'il a eu la possibilité d'habiter à la Cité universitaire, il est allé habiter dans le 14ᵉ arrondissement de Paris. Lorsque Pascal est arrivé à la CitéU, il a remarqué que c'était un campus avec différentes maisons sponsorisées par différents pays. La maison de la Suisse, appelée Fondation Suisse, qui se trouvait à côté de la maison belge et de la maison danoise, avait été construite par l'architecte suisse Le Corbusier.

L'entrée de la Cité Universitaire de Paris

Son style était le cubisme et le purisme, ce qui se remarque si on regarde la Fondation Suisse.

Lorsqu'il a pris en main un billet de 10 francs suisses, Pascal a noté le visage de Le Corbusier imprimé dessus.

Le nouveau billet de 10 francs    Un billet de 10 francs avec Le Corbusier

Pascal s'est rendu compte que, bizarrement, pendant cette année qu'il allait habiter dans la maison de Le Corbusier, ce visage disparaîtrait du billet de 10 francs car c'était l'année où les billets allaient changer d'aspect.
Pascal, qui souriait, a remis l'argent dans son portefeuille et est entré dans la Fondation Suisse, son habitation pour les prochains mois.
Quand il a vu sa chambre, il était content, car elle avait une belle vue et tout le nécessaire.
Mais lorsqu'il a découvert la cuisine, Pascal était un peu surpris, car elle était minuscule – environ 2,5 m² – et devait servir quinze personnes.

La Fondation Biermans-Lapôrte, la maison belge

La Fondation Suisse

Pascal a vite fait la connaissance de Marion, une Française, et Linh, un Suisse romand d'origine vietnamienne. À trois, <u>ils ont marché et</u> ils ont découvert l'ensemble de la Cité universitaire, abrégé en CitéU.
Les maisons <u>qui se trouvent</u> sur le campus ont un aspect extrêmement différent, en fonction du pays qui les a sponsorisées. Les habitants <u>qui viennent</u> de tous les pays du monde ont généralement entre 20 et 30 ans et se trouvent à Paris pour leurs études.

Un soir, Pascal, Marion et Linh sont allés à une fête à la maison belge, appelée Fondation Biermans-Lapôtre. <u>Lorsqu'ils sont sortis</u> de la Fondation Suisse, ils entendaient déjà la musique <u>qui sortait</u> des fenêtres de la maison belge.
À la fête, ils ont fait connaissance des habitants de cette maison, <u>pendant qu'ils buvaient</u> des bières belges typiques. Une bière <u>qui avait</u> la couleur rose était très sucrée et rappelait des framboises.
<u>Pendant qu'il dansait</u>, Pascal a remarqué une jolie fille qui le regardait.
<u>Puisqu'il a parlé</u> avec elle pendant une demi-heure, Pascal a su qu'elle s'appelait Chantal, qu'elle venait du Luxembourg et qu'elle étudiait également les lettres à la Sorbonne.
La Sorbonne, <u>qui est</u> l'université la plus renommée et la plus ancienne de France, a été fondée vers 1200. C'est pour cela que les deux l'avaient choisie pour leurs études à l'étranger.

Chantal et Pascal bavardaient pendant des heures <u>et dansaient et buvaient</u> des bières roses.
<u>Quand Pascal a salué</u> Chantal, Pascal lui a dit qu'ils allaient certainement se revoir à la Sorbonne car ils fréquenteraient les mêmes cours, et il lui a donné un bisou furtif (= flüchtig) sur les lèvres.

Pascal est rentré <u>et sifflait</u> gaiment. De retour dans sa chambre, <u>pendant qu'il s'endormait</u>, Pascal a pensé que ce semestre à Paris n'aurait pas pu mieux commencer et qu'il allait encore vivre de très bons moments <u>puisque Paris est</u> la ville de l'amour.

Les connecteurs

1. Une journée d'école plus ou moins réaliste

Combinez les deux phrases en utilisant un connecteur approprié (plusieurs variantes possibles). Si nécessaire, modifiez la forme verbale ou même la structure de la phrase.

a. Les élèves étaient déjà tous prêts et assis à leur place. La leçon a commencé.

b. Tous les élèves ont levé la main. Le professeur de biologie a posé une question.

c. Le professeur de physique a fait une expérience (= Experiment). Les élèves comprennent la théorie.

d. Toute la classe est arrivée trop tard à la leçon de mathématique. Le prof de sport les avait libérés trop tard.

e. C'est 7h30 le lundi matin et tous sont fatigués. Les élèves sont tous très motivés.

f. Les élèves font toujours les devoirs. Ils ne sont pas divertissants.

g. Le prof s'est rendu compte qu'il avait oublié l'examen à la maison. L'examen de français aurait dû commencer.

h. Le prof de géographie fait plusieurs excursions. Il fait plaisir aux élèves.

i. La lecture d'*Othello* de Shakespeare en anglais est un peu difficile pour les élèves. La prof d'anglais va voir une représentation théâtrale avec la classe.

j. La prof d'allemand promet aux élèves d'apporter un gâteau. Toute la classe a une note suffisante dans l'examen sur les virgules.

k. Les élèves demandent au prof d'économie de changer la date le l'examen. Ils seront tous « malades ».

l. Les élèves ont mis leurs affaires dans le sac. La leçon a été terminée par le prof.

2. Jeanne d'Arc

Afin d'avoir une phrase complète, mettez un connecteur approprié.

a. Jeanne d'Arc, née vers 1412 et morte en 1431, est une héroïne française _____ elle a contribué à inverser le cours (= Verlauf) de la guerre de Cent Ans.

b. À l'âge de 17 ans, elle est partie en guerre _____ elle avait entendu la voix de l'archange Saint Michel (= Erzengel Michael), de la sainte Marguerite d'Antioche (= Margareta von Antiochia) et de la sainte Catherine d'Alexandrie (= Katharina von Alexandrien).

c. D'après les trois saints, sa mission était de délivrer la France de l'occupation anglaise _____ elle était « uniquement » une jeune fille et une paysanne.

Seule représentation contemporaine de Jeanne d'Arc

d. Pour pouvoir combattre, elle voulait regrouper autour d'elle des soldats. _____ elle a été rejetée au début et on lui disait que son père aurait dû lui donner des gifles.

e. Elle s'est mis des vêtements pour hommes et s'est coupé les cheveux _____ elle puisse mieux combattre.

f. Jeanne d'Arc a obtenu son nom de Jeanne d'Orléans _____ la bataille qu'elle a gagnée à Orléans.

g. Après avoir gagné à Orléans, Jeanne s'est mise en route pour convaincre Charles VII de sa mission, mais _____ les différentes légendes, on ne sait pas aujourd'hui comment Jeanne a réussi.

h. Elle a accompagné Charles VII à Reims _____ celui-ci se fasse couronner.

i. Jeanne a été capturée par les Bourguignons (= Burgunder) et vendue aux Anglais pendant une bataille qui, _____ celles d'avant, n'a pas été couronnée de succès (= von Erfolg gekrönt).

j. Un procès contre Jeanne d'Arc a eu lieu _____ elle ait eu une vraie chance de se défendre.

k. En 1431, elle a été condamnée à mort _____ on ait prouvé son innocence en 1456.

l. Jeanne d'Arc a été canonisée (= heiligsprechen) et appelée « sainte » par l'église catholique en 1920, presque 500 ans _____ elle avait été brûlée vive à Rouen.

m. Jeanne d'Arc continue à nourrir une multitude de légendes jusqu'à nous jours, _____ elle soit morte il y a presque 600 ans.

Statue sur la place des Pyramides à Paris

Varia : Les connecteurs

3. *Les choristes*

Le film *Les choristes* a eu un énorme succès. Le protagoniste, Monsieur Mathieu, commence un nouveau travail dans un internat où il crée une chorale avec les écoliers. Complétez avec des connecteurs le texte qui parle de ce film.

voir p. 95 à 98

Lorsque Monsieur Mathieu, un musicien sans succès, arrive à l'internat Fond d'Étang (= Am Boden des Teiches), il a l'impression que le nom va bien avec l'ambiance de ce lieu _____ l'institution parait sombre.

Les garçons, _____, n'ont pas que de sombres pensées, ils aimeraient s'amuser et rigoler. Morhange, l'un des garçons, dessine une caricature de Monsieur Mathieu _____ faire rire ses amis. Monsieur Mathieu sait _____ encore mieux dessiner que Morhange et les garçons rient davantage.

_____ diriger l'énergie des garçons de façon positive, Monsieur Mathieu commence à les faire chanter. Chaque enfant doit chanter _____ Monsieur Mathieu puisse déterminer la tessiture (= Tonlage) de chacun. Peu à peu, les garçons prennent plaisir à faire partie d'une chorale, sauf Morhange.

Mais _____ Morhange s'absente au début, il a très envie de faire partie de la chorale. Monsieur Mathieu gagne lentement la confiance et le respect de Morhange, _____ _____ il accepte ce garçon et le traite avec sensibilité.

_____ les garçons aient de bonnes chansons appropriées à une chorale de jeunes, Monsieur Mathieu se met à composer des pièces musicales. Il compose de belles chansons _____ les garçons dorment.

Les garçons de l'internat en train de chanter

Le directeur de l'internat est _____ une personne dure et semble ne pas avoir bon cœur. Il critique et menace Monsieur Mathieu _____ la chorale ait un effet positif sur les garçons. _____ la chorale a du succès et que la comtesse (= Gräfin) veut entendre les garçons qui chantent, il change d'avis.

D'un coup, le directeur de l'internat affirme même avoir eu lui-même l'idée de la chorale, mais il sait parfaitement que c'est _____ Monsieur Mathieu que les garçons chantent et sont plus équilibrés.

Le film prend un virage inattendu que je ne vais pas vous raconter _____ ne pas vous gâcher la surprise _____ vous n'aviez pas encore vu ce beau film.

Sachez que ce film, produit par le Suisse Arthur Cohn, a gagné, entre autres, deux Oscars en 2005. Les garçons qui chantent font partie des Petits chanteurs de Saint-Marc, une chorale de Lyon.

L'acteur principal Jean-Baptiste Maunier

Jean-Baptiste Maunier, le garçon qui incarne le rôle principal, est devenu très connu, _____ les autres sont restés plus inconnus. Maunier a participé à plusieurs autres films _____ il avait été présent dans le film *Les choristes*. _____, il a produit un disque, *Nuits Revolver*, en 2017.

Discussion

1. Discussion

Discutez à deux ou en groupe sur quelques sujets ci-dessous.

De quoi devraient s'occuper les politiciens ? Quels sujets sont importants d'après vous ?

Est-ce que le service militaire en Suisse est une bonne chose ou devrait-on l'abolir ?

Trouvez-vous qu'il y a trop d'anglicismes dans votre langue ? Est-ce qu'ils « détruisent » la langue ?

Que pensez-vous du culte de la beauté ; de la chirurgie esthétique ; du sport excessif ; des top models trop maigres ; des régimes ?

Être connu, c'est terrible. Êtes-vous d'accord ?

Quelles matières faudrait-il enseigner à l'école ? Est-ce que le dessin, le sport ou la musique doivent compter ? Ou devrait-on enseigner uniquement ce qui sert à l'économie ?

On est ce qu'on mange. Quel est l'impact que la nourriture a sur nous et notre corps ? Est-ce que la nourriture industrielle nous rend malades ?

Voyager ouvre nos esprits et change nos croyances et nos manières de penser.

Les centrales nucléaires (= Kernkraftwerke) sont-ils un danger réel ou même imminent ? Quelles alternatives avons-nous ?

Les vêtements « Made in India », les jouets « Made in China », les outils de tous les jours « Made in Taiwan ». Un T-shirt à 15 francs. Plus de fabrication en Europe. Quelles en sont les conséquences ?

Carnivore, végétarien, végétalien (= Veganer) ou fruitarien (= Frutarier) ?

L'effet placebo : Quelle est l'importance de ce que nous pensons et croyons ? Est-ce que cela a un impact direct sur la vie ?
Et dans quelle mesure ?

2. Débat

1. **Choisissez**
   - **un sujet qui vous intéresse ;**
   - **une position : pour ou contre ;**
   - **le type de personne que vous voulez être. Incarnez (= verkörpern) un rôle.**
2. **Cherchez, chacun pour soi, des arguments qui correspondent à votre rôle.**
3. **Discutez en groupe ou à deux en adoptant le point de vue de la personne que vous avez choisi d'être.**

La peine de mort – à abolir ?

Légalisation du cannabis – l'ouverture à toutes les drogues ?

La nouvelle technologie et les médias sociaux – un danger ?

L'uniforme à l'école, une chance ou une restriction de la personnalité ?

Les jeux vidéo sont dangereux, ils isolent et rendent agressifs.

Le mariage est une institution dépassée.

Plus besoin de lire aujourd'hui, les films sont les livres d'autrefois.

Le plastique et d'autres types d'emballages doivent être interdits !

Exit – le choix de pouvoir mourir.
S'agit-il de laisser la dignité à chaque humain ou est-ce un péché ?

Voie libre
à la maturité

Structures grammaticales diverses

1. Coco Chanel

Remplissez les lacunes avec des pronoms (personnels, relatifs, démonstratifs, pronoms ou adjectifs possessifs), des articles ou des prépositions.

Qui ne connaît pas *Chanel* ? Vous avez tous déjà entendu ce nom _____ nous fait penser à la haute couture.

Mais qui a été cette Coco Chanel _____ on entend parler souvent, sur _____ Hollywood avait produit un film et _____ le journal *Times* avait citée parmi les 100 personnes avec le plus d'influence au XXe siècle (*Time Magazine :* 100 Most Important People of the 20th Century).

Coco Chanel, icône de mode

Gabrielle Chanel a grandi dans un orphelinat, _____ son père l'avait placée à l'âge de 12 ans avec une sœur, après la mort de _____ mère. C'est à l'orphelinat, _____ elle a vécu jusqu'à ses 18 ans, qu'elle a appris à coudre (= nähen).

Vous vous demandez certainement pourquoi elle s'appelle *Coco*. Gabrielle Chanel chantait régulièrement deux chansons _____ le *Grand Café* et au café-concert *La Rotonde*. Les chansons _____ se référaient les officiers dans le public en appelant Gabrielle « Coco » étaient *Qui a vu Coco* et *Ko-Ko-Ri-Ko*.

Mais Coco voulait faire plus de sa vie. En 1909, _____ l'aide de ses amis Etienne Balsan et Arthur Capel, elle a ouvert son premier magasin _____ elle vendait beaucoup _____ différents chapeaux. Rapidement reconnue pour son talent, Coco a ouvert d'autres boutiques _____ Deauville et _____ Biarritz en 1914. C'est là qu'elle s'est lancée dans la couture, _____ on se souvient le plus encore aujourd'hui.
Coco a mis en œuvre des changements _____ elle avait beaucoup réfléchi. Elle a raccourci les jupes et supprimé les tailles serrées. Elle était la première _____ proposer des vêtements simples et pratiques _____ femmes. Son style strict et le choix des couleurs noir et blanc sont influencés par _____ enfance dans l'orphelinat chez des religieuses.
La petite robe noire (= das kleine Schwarze), le tailleur en tweed ou les chaussures bicolores sont des créations _____ on peut encore voir aujourd'hui lors _____ défilés de mode.

La création _____ parfums a été confiée à Ernest Beaux en 1921. Celui-ci présente une série _____ essais numérotés de 1 à 5 et de 20 à 24. Coco Chanel choisit le parfum Nr. 5 _____ elle décide de garder le nom. C'est aujourd'hui le parfum le plus vendu dans le monde.

Romy Schneider avec un costume de Chanel

La petite robe noire (= das kleine Schwarze)

Le parfum le plus vendu au monde

Les chaussures bicolores

À l'époque, des personnes connues, entre autres Romy Schneider _____ avait incarné le rôle de Sissi, étaient des clientes fidèles de Coco Chanel. Encore de nos jours, la marque Chanel n'a pas perdu _____ gloire et _____ popularité.

En 2009, un film parlant de la vie de Coco Chanel intitulé *Coco avant Chanel* (ou dans la version allemande *Coco Chanel – Der Beginn einer Leidenschaft*) a été produit.

2. La famille Piccard

Remplissez les lacunes avec des pronoms (personnels, relatifs, démonstratifs, pronoms ou adjectifs possessifs), des articles, des adverbes ou des prépositions.

Vous connaissez probablement Bertrand Piccard, _____ a réalisé le tour _____ monde en ballon en 1999 et, encore une fois, avec un avion solaire entre 2015 et 2016. Mais saviez-vous également que toute _____ famille est connue pour être des aventuriers et des pionniers ? D'abord, il y a Auguste Piccard, _____ grand-père de Bertrand, _____ avait été aéronaute et océanaute. Ensuite, _____ fils, Jacques Piccard, _____ père de Bertrand, avait _____ été océanaute et océanographe. Tandis que le grand-père avait choisi la profondeur _____ océan et les hautes altitudes (= die höchsten Höhen), le père avait choisi uniquement la profondeur. Finalement, Bertrand a de nouveau osé s'aventurer dans le ciel.

Désirez-vous connaître les records et les inventions de _____ famille suisse ?

A. Auguste Piccard, le grand-père

_____ 1931, plus exactement, _____ 27 mai, Auguste Piccard a fait le vol _____ plus haut de l'époque. _____ ballon stratosphérique, il est monté jusqu'à 16 201 mètres.

Il a été le premier homme à voir la courbure (= Krümmung) _____ terre. Il a ouvert la voie à l'aviation (= Luftfahrt) moderne.

Hergé, dessinateur belge, qui a créé *Les aventures de Tintin*, appelées *Tim und Struppi* en allemand, s'est inspiré de _____ aventurier. Il a fait entrer dans sa bande dessinée Auguste Piccard et son ballon stratosphérique, sous les traits _____ Professeur Tournesol, en allemand Professor Bienlein.

Auguste Piccard avec son ballon stratosphérique

Aller dans la stratosphère ne lui suffisait pas. _____ il voulait explorer ensuite étaient les abysses (= Tiefseegraben) de la mer. Pour _____, il a inventé et construit le sous-marin *Bathyscaphe* en appliquant le principe de son ballon stratosphérique.

La première tentative n'a pas été couronnée _____ succès. Il s'est donc mis à la construction du deuxième *Bathyscaphe*, _____ a collaboré son fils Jacques. _____ 1953, il a plongé avec Jacques jusqu'à 3150 mètres sous l'eau. Pour cela, Auguste est devenu l'homme des extrêmes, _____ qui est monté le plus haut et descendu le plus bas jusqu'à _____ moment-là.

Auguste et Jacques Piccard

Auguste Piccard, né en 1884 à Bâle et mort en 1962 à Lausanne, avait été un savant universel. Il était ami avec Marie Curie et Einstein, il a découvert l'Uranium 235 et il a mené en ballon une expérience _____ a prouvé la validité (= Gültigkeit) de la théorie de la relativité d'Einstein au moment où _____ était remise en question.

B. Jacques Piccard, le père

Jacques Piccard, né en 1922, a fait des études de sciences économiques. Grâce _____ contacts avec le monde des affaires, il a pu trouver le financement pour le second sous-marin *Bathyscaphe* de son père. Jacques a effectué plusieurs records de plongée avec son père Auguste.

Plus tard, avec son collègue américain Don Walsh, Jacques est devenu lui-même l'homme _____ monde ayant plongé le plus profondément. Ils sont descendus jusqu'à 10 916 mètres sous le niveau de la mer, dans la fosse des Mariannes (= Marianengraben), _____ correspond au point le plus profond des océans et _____ se trouve dans la partie nord-ouest _____ océan Pacifique.

_____ Jacques rêvait s'est réalisé. Ce record était beaucoup plus qu'une première historique ! Il s'agissait d'une étape majeure pour la protection de l'environnement. Jacques et Don Walsh ont pu prouver l'existence de vie _____ personne ne s'attendait au fond de l'océan.

_____ plongée a poussé les gouvernements à abandonner _____ idée de déposer les déchets toxiques dans les fosses marines.

Auguste Piccard (derrière, à gauche) avec Marie Curie et Albert Einstein

Le président des États-Unis de l'époque, Eisenhower, _____ cette découverte a étonné, a donné à Jacques le Distinguished Public Service Award.

Jacques Piccard a affirmé ne pas avoir eu peur. La seule chose _____ il avait un peu peur était d'atterrir (= landen) sur des bateaux marins engloutis (= versunken) car _____ canons auraient pu faire des dégâts (= Schaden). Très tôt, très intéressé à l'écologie, Jacques a fondé la *Fondation pour l'étude et la protection de la mer et des lacs* en 1968. _____ fils, Bertrand Piccard, a continué et continue encore la recherche _____ les voyages écologiques et l'énergie renouvelable (= erneuerbar).

C. Bertrand Piccard, le fils

Né en 1958 à Lausanne, Bertrand a vécu en Floride _____ son père Jacques travaillait pour le programme *Apollo* _____ les années 1960. Bertrand avait même eu la chance d'assister _____ décollage des fusées (= Rakete) *Saturn V* et *Apollo* numéros 7 à 12.

Déjà très jeune, à l'âge de 16 ans, Bertrand Piccard faisait partie des pionniers de l'aile delta (= Deltafliegen) et du ULM, _____ signifie planeur ultra-léger motorisé (= Ultraleichtfleugzeug). Piccard s'intéressait également _____ vol en parapente (= Gleitschirm) et en montgolfière (= Heissluftballon). Il a établi plusieurs records _____ il dit que ce qui l'intéresse le plus, ce n'est pas le record _____, mais le comportement des êtres humains dans des situations extrêmes. Le vol en aile delta est devenu pour lui comme un laboratoire _____ psychologie. Il a étudié _____ médecine et s'est spécialisé en psychiatrie et en hypnose.

L'hypnose est une méthode _____ Bertrand a eu recours (avoir recours à qc = auf etw. zurückgreifen) pendant le vol avec l'avion *Solar Impulse*. Bertrand et son collègue André Borschberg ne pouvaient dormir que par tranches de vingt minutes, mais _____ 24 fois par jour. Tandis que Borschberg faisait du yoga, Bertrand pratiquait l'autohypnose.

Bertrand Piccard a établi de nombreux records : il a été le premier à traverser les Alpes dans un avion ULM, il a fait le tour du monde en ballon _____ s'arrêter en 1999 et le tour du monde dans son avion solaire en 2016.
Mais le projet _____ il s'est dédié par conviction profonde est le changement des mentalités. Selon lui, après avoir prouvé qu'il est possible de faire le tour _____ terre avec un avion solaire, il s'agit maintenant de changer la politique énergétique (= Energiepolitik). Piccard et Borschberg avaient une vision : _____ but était de créer de l'enthousiasme pour des énergies renouvelables grâce à leur voyage. Ils ont prouvé que voler sans carburant et sans émissions _____ polluent est possible. _____ est la preuve que le monde peut encore gagner en efficacité énergétique (= energieeffizienter werden).

En plus, Bertrand Piccard désire promouvoir (= fördern) une vision humaniste _____ laisse une large place à l'esprit de pionnier et à l'innovation dans la vie de tous _____ jours.

Bertrand Piccard et André Borschberg avec le *Solar Impulse*

Grande finale

1. Le chocolat

Mettez les verbes à la bonne forme.
Tous les temps et tous les modes et également des verbes aux passif peuvent y être présents.

voir p. 10 à 39, p. 90 et 91

Nous, les Suisses, nous _____ (être) fiers de notre chocolat et nous _____ (croire) pouvoir faire le meilleur chocolat du monde. Mais est-ce que vous _____ (connaître) l'histoire du chocolat ? Est-ce que vous _____ (avoir) connaissance du rôle des Suisses concernant la production de chocolat ?

Lindt, Sprüngli, Nestlé, Cailler, Suchard – de grands noms _____ (représenter) le chocolat suisse.

François-Louis Cailler, né à Vevey en 1796, _____ (apprendre) le métier de chocolatier à Turin, en Italie. Il _____ (travailler) pendant quatre ans à la fabrique de chocolat Caffarel, période pendant laquelle on lui _____ (enseigner) à fabriquer du chocolat. De retour à Vevey, Cailler _____ (créer) des machines pour ce qui _____ (devenir) la première fabrique de chocolat en Suisse : *Chocolat Cailler*. Cailler _____ (être) le premier à proposer le chocolat sous forme de plaques (= Tafel Schokolade).

François-Louis Cailler

Grâce à la fabrication machinale, le prix du chocolat _____ (baisser) car, avant ceci, uniquement les gens riches _____ (pouvoir) se permettre d'acheter ce produit de luxe.

Une des filles de Cailler _____ (se marier) avec Daniel Peter qui _____ (aller devenir) également chocolatier plus tard.

C'est ici que l'histoire _____ (devenir) intéressante !

Avant le mariage, Peter _____ (produire) des chandelles, mais après le mariage, il ne _____ (s'occuper) plus que de la production de chocolat. Puisque son entreprise *Peter-Cailler et Compagnie* _____ (ne pas être) un grand succès, Peter _____ (commencer) à faire des expériences avec le chocolat. Il _____ (envisager) la création d'un nouveau produit.

Avec l'aide de son ami et chercheur Henri Néstlé qui, auparavant, _____ (faire) un apprentissage en tant que pharmacien, les deux hommes _____ (donner) naissance à ce qui _____ (être) aujourd'hui le chocolat au lait.

Henri Nestlé _____ (produire) du vinaigre, de la farine et de la moutarde. Dans son laboratoire, il _____ (tenter) d'inventer et de créer d'autres produits nouveaux, comme la poudre de lait. C'est avec cette poudre de lait et ensuite avec le lait condensé que Daniel Peter _____ (faire) ce premier chocolat au lait qui _____ (avoir) un goût moins amer en comparaison avec le chocolat qui _____ (exister) déjà.

Je _____ (regretter) de devoir le dire, mais, en 1839, il y _____ (avoir) une autre personne qui _____ (inventer) le chocolat au lait avant les deux Suisses qui le _____ (fabriquer) en 1875 seulement. Presque personne ne _____ (connaître) ce fait. Donc _____ (garder – impératif de *nous*) ce secret pour nous...

Un autre ingrédient _____ (révolutionner) le chocolat même avant le lait. Je _____ (ne pas penser) que vous _____ (pouvoir) deviner le produit dont je _____ (parler).

Il _____ (s'agir) de la noisette (= Haselnuss). Encore une fois, les Italiens _____ (contribuer) à la création du chocolat. En 1806, Napoléon _____ (bloquer) le commerce entre l'Angleterre et le Piémont, une région d'Italie. Pour cette raison, les prix du cacao _____ (augmenter). Les chocolatiers italiens _____ (vouloir) qu'ils _____ (avoir) un ingrédient qu'ils _____ (pouvoir) mélanger avec le cacao. À l'époque, la noisette _____ (être) un fruit assez économique pour être très répandu (= verbreitet) et elle le _____ (être) toujours.

Au début, le *gianduia* _____ (considérer – passif) comme un produit moins prestigieux, mais peu à peu, ce chocolat italien _____ (devenir) une spécialité, comme les « Gianduiotti ».

_____ (réfléchir – impératif de vous) un moment au terme « nutella ». Qu'est-ce que vous _____ (noter)? Effectivement, le terme « nutella » _____ (venir) du mot anglais « nut » puisque la recette du nutella _____ (baser – passif) sur la noisette.

Que _____ (être) la vie sans chocolat? Est-ce que vous _____ (pouvoir s'imaginer) vivre sans ce plaisir du palais (= Gaumen)? La bonne nouvelle _____ (être) que le chocolat fait partie d'une alimentation équilibrée (= ausgewogene Ernährung) en quantité raisonnable. Le chocolat _____ (contenir) la théobromine qui _____ (agir) comme la caféine et les flavanols qui _____ (pouvoir) améliorer la mémoire. Bon appétit!

2. Marie Curie

Mettez les verbes à la bonne forme.
Tous les temps et tous les modes peuvent y être présents.
Faites attention également au passif, au discours indirect et à la phrase hypothétique.

Marie Curie _____ (être) connue aujourd'hui pour être morte à cause de ses découvertes des éléments radioactifs, mais ceci _____ (constituer) juste une toute petite partie de sa vie. Voici ce que vous _____ (pouvoir) découvrir sur cette femme unique dans l'histoire :

Marie Curie _____ (se rendre) à Paris en 1891 parce qu'en Pologne, où elle _____ (naître) en 1867, les femmes _____ (ne pas encore avoir) le droit d'étudier.
Elle _____ (s'inscrire) à la Sorbonne. Parmi les neuf mille étudiants qui _____ (s'inscrire) cette année-là, il ne _____ (y avoir) que deux cent dix femmes et uniquement vingt-trois femmes qui _____ (faire) partie de la Faculté des sciences.

En 1894, Marie Curie _____ (terminer) ses études à la Sorbonne, où elle _____ (obtenir) une licence en mathématique et en physique. Elle _____ (être) la meilleure de tous les étudiants en physique et la deuxième en mathématique.
Avec son mari, Pierre Curie, elle _____ (se mettre) à étudier des substances radioactives.
En 1898, Pierre et Marie Curie _____ (publier) leurs premiers résultats et ils _____ (annoncer) la découverte de deux nouveaux radioéléments : le polonium et le radium. C'est dans ce contexte qu'ils _____ (utiliser) pour la première fois le terme de « radioactivité ».

Marie Curie en 1903 environ

Déjà en 1898, Marie Curie _____ (souffrir) des premiers symptômes liés à son exposition à la radioactivité, symptômes dont elle _____ (aller souffrir) davantage à l'avenir.

En 1900, Marie Curie _____ (admettre), comme première femme, en tant que professeure à l'*Ecole supérieure de jeunes filles* où elle _____ (enseigner) la physique. Et en novembre de la même année, Pierre et Marie Curie ont reçu la lettre de l'*Académie royale des sciences de Suède* qui leur _____ (annoncer) qu'ils _____ (choisir) pour le Prix Nobel en physique grâce à leurs recherches sur les phénomènes de la radiologie.

Marie Curie et Pierre Curie avec leur assistant Edison Petit vers 1905

Deux ans après la naissance de leur seconde fille, Pierre Curie _____ (mourir) dans un accident. Pierre _____ (vouloir) traverser la route, mais il _____ (écraser) par une voiture à cheval. Marie Curie _____ (choisir) par l'université de la Sorbonne pour remplacer son mari qui y _____ (donner) des cours aux étudiants. Finalement, deux ans plus tard, en 1908, Marie _____ (obtenir) un siège de physique à la Sorbonne. Ceci _____ (la rendre) célèbre en tant que première femme enseignant au sein de cette université renommée.

En 1911, lorsque Marie _____ (postuler) pour un siège à l'Académie des sciences, on _____ (découvrir) qu'elle _____ (avoir) une relation avec Paul Langevin, un ancien élève de Pierre Curie. La presse _____ (attaquer) Marie pendant longtemps. Les journaux _____ (la appeler) «étrangère», «intellectuelle» et «femme bizarre». D'autres journaux, comme L'Humanité ou Gil Blas, _____ (la défendre). Des scientifiques comme Perrin, Poincaré, Borel et Einstein _____ (la soutenir).

Pendant que la presse _____ (traiter) de l'affaire Langevin-Curie, on _____ (discuter) à Stockholm pour savoir qui _____ (devoir) gagner le Prix Nobel en chimie. En 1911, malgré la mauvaise presse, l'Académie royale de Suède _____ (élire) Marie Curie pour le Prix Nobel. Elle _____ (devenir ainsi) la première personne à gagner deux Prix Nobel.

Néanmoins, les difficultés que Marie Curie _____ (devoir) affronter _____ (ne pas finir). Svante Arrhenius, membre de l'Académie royale et gagnant du Prix Nobel en 1903, _____ (écrire) à Curie qu'elle _____ (ne pas devoir) se présenter à la remise du prix à Stockholm. Curie _____ (réagir) de manière décisive en disant que s'il _____ (s'agir) d'un homme qui _____ (avoir) une liaison, on _____ (ne pas en parler) autant. Si elle _____ (être) un homme, cela _____ (ne pas faire) tant de scandale. Malgré toute l'opposition, Marie Curie, sa sœur Bronia et sa fille Irène _____ (partir) pour Stockholm où le deuxième Prix Nobel lui _____ (remettre) par l'Académie.

Pendant la Première Guerre mondiale, Curie _____ (travailler) en tant que radiologue et _____ (traiter) les soldats blessés. Elle _____ (inventer) une radiographie portable utilisable au front.

Aujourd'hui, grâce aux deux Prix Nobel gagnés en 1903 de physique et en 1911 de chimie, Marie Curie _____ (être) la physicienne la plus connue dans le monde. Néanmoins, les difficultés qu'elle a dû affronter _____ (rester) souvent inconnues : après l'école en Pologne, elle _____ (ne pas admettre) à l'université de Varsovie (= Warschau). En plus, il lui _____ (falloir) gagner l'argent pour ses recherches en enseignant à des filles. Troisièmement, en 1911, elle _____ (ne pas être accepté) à l'Académie des sciences. Ses activités à la Société des Nations (= Völkerbund) _____ (rester) assez inconnues, bien qu'elle _____ (être) vice-présidente du Comité international de la collaboration intellectuelle de la Société des Nations à partir de 1922. En réalité, Marie Curie _____ (vouloir toujours) que ses découvertes _____ (pouvoir) être utilisées en médecine pour que des malades _____ (avoir) un meilleur traitement.

Il semble que Marie Curie _____ (transmettre) la soif des sciences à ses filles. Irène Joliot-Curie _____ (également recevoir) le Prix Nobel de chimie en 1935 avec son mari Frédéric Joliot-Curie pour leurs travaux sur la radioactivité artificielle. Ève Curie, qui _____ (écrire) une biographie mondialement connue sur sa mère, _____ (épouser) Henry Labouisse qui _____ (recevoir) le Prix Nobel de la paix étant directeur exécutif de l'UNICEF.
Encore aujourd'hui, il _____ (être) évident que Marie Curie _____ (être) très populaire. Sheldon dans *The Big Bang Theory* _____ (la nommer) à plusieurs occasions et _____ (la dessiner) en jouant à Pictionary avec ses amis. D'ailleurs, en 2016, la réalisatrice française Marie Noëlle _____ (produire) un film sur la scientifique Marie Curie portant à l'écran ses recherches, ses souffrances et sa bataille. En 1943, un film sur la vie de cette femme forte _____ (produire) par Metro-Goldwyn-Mayer. Le film de 1943 _____ (s'intituler) *Madame Curie*.

3. Les Misérables

Mettez les verbes à la bonne forme.
Tous les temps et tous les modes peuvent y être présents.
Faites attention également au passif, au discours indirect et à la phrase hypothétique.

Mettez la première partie au présent ou au passé :

Divers films, des pièces de théâtre, une comédie musicale – nombreuses _____ _____ (être) les adaptations du chef-d'œuvre de Victor Hugo Les Misérables. Ces dernières années, ce roman _____ (atteindre) une nouvelle dimension de popularité, surtout parmi les jeunes qui _____ (voir) la comédie musicale cinématographique avec des acteurs célèbres. Le protagoniste Jean Valjean _____ (incarner) par Hugh Jackman, tandis que Fantine _____ (représenter) par Anne Hathaway.

L'histoire des Misérables _____ (ne pas être) uniquement convaincante grâce aux acteurs qui y _____ (mettre) tout leur cœur, mais aussi grâce à la dimension historique, psychologique, sociologique et politique du livre. Ce roman _____ (ne pas laisser) indifférent, si vous le lisez.

L'adaption hollywoodienne du roman de Victor Hugo

Mettez le reste du texte au passé :

Mais qui étaient ces « misérables » dont Victor Hugo nous a dressé le portrait ? Jean Valjean _____ (être emprisonné) après avoir volé un morceau de pain pour nourrir ses frères et sœurs et pour se nourrir soi-même. Après avoir été libéré dix-neuf ans plus tard, le stigmate d'un ancien forçat (= Strafgefangener) le _____ _____ (empêcher) de mener une vie respectable. Fantine, autre personnage « misérable », _____ (être abandonné) par son petit ami après qu'elle _____ (tomber) enceinte. Seule, sans soutien quelconque, elle _____ (essayer) de survivre. Forcée par le destin cruel, elle _____ (se voir) obligée de laisser sa fille Cosette chez une famille à qui elle _____ (croire) pouvoir faire confiance. Cette famille, pourtant, également souffrante, ne _____ (percevoir) aucune autre issue que celle des ruses et des mensonges. Les membres de cette famille _____ (frauder = betrügen) et _____ (duper = beschwindeln) tout le monde.

L'analyse socioculturelle que l'auteur nous _____ (dépeindre), _____ (transmettre) par différents personnages, entre autres par Jean Valjean.

À travers le roman, Jean Valjean _____ (évoluer) du forçat désillusionné, perdu et sans espoir jusqu'à devenir un gentilhomme – même si jamais officiellement. Il _____ (être) fâché contre le système juridique qui lui _____ (prendre) sa dignité et _____ (ne pas lui montrer) de respect. Il _____ (se mettre) à réfléchir à son sort et à celui des autres gens qui _____ (vivre) en marge de la société. Dans le cas de Valjean, il _____ (ne pas s'agir) d'un intellectuel, il _____ (être) un ignorant, mais pas un imbécile – et, chose essentielle, il _____ (posséder) un bon cœur, une lumière naturelle _____ (être) allumée en lui.

Représentation de trois des « misérables » dans *Les Misérables*

En réfléchissant, il _____ (reconnaître) qu'il _____ _____ (ne pas pouvoir) être considéré comme un innocent injustement puni, car, effectivement, il _____ (commettre) un vol même s'il le _____ (faire) pour de bonnes raisons. Pourtant il _____ (se dire) par ailleurs que la société _____ (être) également responsable de sa misère et de celle des autres « misérables ». Valjean _____ (répéter) dans sa tête maintes fois que la punition de la part de la loi _____ (être) atroce et il _____ (se demander) si l'abus de la loi (= Rechtsmissbrauch) concernant la peine (ici : juristische Strafe) _____ (ne pas représenter) un crime majeur à celui que le voleur, lui-même, _____ (commettre). Ainsi, la société _____ (faire) du criminel une victime.

Il _____ (se poser) la question si l'humanité _____ (ne pas avoir) l'obligation de veiller au bonheur de tous et si ce _____ (ne pas être) monstrueux que la société _____ (traiter) ainsi ses membres les plus souffrants et les plus pauvres. Il _____ (tirer) la conclusion que la société _____ (devoir) mieux faire dans le futur.

L'antagoniste de Valjean, l'inspecteur de police Javert, _____ (avoir) une vision bien différente sur la valeur et le rôle des criminels. Il _____ (couvrir) de mépris, de dégoût et de haine tous ceux qui _____ (franchir = übertreten), même une seule fois, la loi. Il ne _____ (connaître) ni la pitié ni la compassion. À plusieurs reprises, Javert _____ (affirmer) que rien de bon ne _____ (pouvoir) sortir d'un criminel ou d'une personne perdue.

À travers tout le roman de Victor Hugo, Javert _____ (chasser) Jean Valjean qui, de son côté, _____ (essayer) de vivre une vie digne et honnête après ses années en prison.

Crédits photos

Crédits photos

p. 24, tous Corinne Müller

p. 25 KEYSTONE / akg-images

p. 28 Wikimedia Commons. CC0. Isidore Pils

p. 32 Corinne Müller

p. 35 Corinne Müller

p. 38 Keystone Press / Alamy Stock Foto

p. 39, en haut © Chappatte dans Le Temps, Suisse ; www.chappatte.com

p. 39, en bas Thinkstock / iStock / MimaCZ

p. 47 AF archive / Alamy Stock Photo

p. 48 Wikimedia Commons. CC BY-SA 3.0 Omniscia6

p. 74, tous ETH-Bibliothek Zürich, Bildarchiv / Fotograf : Unbekannt

p. 89, tous Corinne Müller

p. 90, tous Corinne Müller

p. 97 Titeuf, par Zep © Zep

p. 102 Pixabay / nkoks

p. 110 RTRO / Alamy Stock Foto

p. 118 AF archive / Alamy Stock Foto

p. 119 KEYSTONE / MAXPPP / TIBOUL

p. 120, en haut Pavel Mastepanov / Alamy Vektorgrafik

p. 120, en bas Archive Pics / Alamy Stock Foto

p. 121, en haut Wikimedia Commons. CC0. Parpan05

p. 121, en bas Wikimedia Commons. CC0. Swiss Federal Archives

p. 131, tous Ali Lucas-Chee

p. 134, à droite Ali Lucas-Chee

p. 134, les autres Corinne Müller

p. 135 iStockphoto / mutsMaks

p. 141, à gauche Wikimedia Commons. CC0. Conservatrix

p. 141, à droite Pictures Now / Alamy Stock Foto

p. 145 hep Verlag AG

p. 161, en haut Wikimedia Commons. CC0. Botaurus

p. 161, en bas Art Collection 4 / Alamy Stock Foto

p. 162, à gauche Wikimedia Commons. CC0. Shuishouyue

p. 162, à droite Wikimedia Commons. CC0. Escarlati

p. 162, en bas IanDagnall Computing / Alamy Stock Foto

p. 163, en haut Patrick Guenette / Alamy Stock Foto

p. 163, en bas Wikimedia Commons. CC0. Artwork

p. 171 Wikimedia Commons. CC BY-SA 2.0 Leahtwosaints

p. 174, à gauche KEYSTONE / AP Photo / Arturo Mari

p. 174, à droite White House Photo / Alamy Stock Foto

p. 178, tous iStockphoto / mutsMaks

p. 180, à gauche PjrStudio / Alamy Stock Foto

p. 180, à droite Wikimedia Commons. CC0. Quibik

Crédits photos

p. 181, à gauche AF archive / Alamy Stock Foto

p. 181, à droite TCD / Prod.DB / Alamy Stock Foto

p. 190 La langue française dans le monde, édition 2019, © OIF / Éditions Gallimard.

p. 191, a. ZUMA Press, Inc. / Alamy Stock Foto

p. 191, b. Prisma by Dukas Presseagentur GmbH / Alamy Stock Foto

p. 191, c. Pixabay / Hans

p. 191, d. Pixabay / congerdesign

p. 192, e. Wikimedia Commons. CC BY-SA 4.0. Marco Zanoli
https://commons.wikimedia.org/wiki/File:Sprachen_CH_2000_IT.png (Neubeschriftung der Sprachregionen)

p. 192, f. hep Verlag AG

p. 193, g. Pixabay / OpenIcons

p. 193, h. iStock / PeopleImages

p. 209 imageBROKER / Alamy Stock Foto

p. 212 Titeuf – Tome 11 Mes meilleurs copains, par ZEP © Editions Glénat, 2006.

p. 217 iStock / LauriPatterson

p. 220 History and Art Collection / Alamy Stock Foto

p. 222 The Advertising Archives / Alamy Stock Foto

p. 223 AF archive / Alamy Stock Foto

p. 229, en haut Wikimedia Commons. CC BY-SA 3.0 Bedphil

p. 229, les autres Ivan Vdovin / Alamy Stock Foto

p. 230, à gauche Wikimedia Commons. CC BY-SA 3.0 Calips

p. 230, à droite Corinne Müller

p. 233 INTERFOTO / Alamy Stock Foto

p. 234 iStock / fstockfoto

p. 235 AF archive / Alamy Stock Foto

p. 236 United Archives GmbH / Alamy Stock Foto

p. 240, à gauche Keystone Press / Alamy Stock Foto

p. 240, à droite Granger Historical Picture Archive / Alamy Stock Foto

p. 242, en haut à gauche KEYSTONE / LEN SIRMAN-ARCHIVE / STR

p. 242, en haut à droite KEYSTONE / Mondadori Portfolio

p. 242, en bas à gauche flavia raddavero / Alamy Stock Foto

p. 242, en bas à droite A. Astes / Alamy Stock Foto

p. 243 KEYSTONE / Everett Collection

p. 244 KEYSTONE / AFP / Str

p. 245 Wikimedia Commons. CC0. Túrelio

p. 246 KEYSTONE / Stefan Bohrer

p. 247 Public Domain

p. 250 Wikimedia Commons. CC0. Jarould

p. 251 Wikimedia Commons. CC BY-SA 4.0 Fæ

p. 254 AF archive / Alamy Stock Foto

p. 256 Wikimedia Commons. CC0. Guise

hep
kompetent bilden

Monika Wyss, Werner Kolb, Heinz Hafner, Nina Beerli, Andrea Stuhner

GymGrammatik
Wissen – Anwenden – Umsetzen

A4, Broschur, 264 Seiten

«GymGrammatik» ist auf den Deutschunterricht an Maturitätsschulen ausgerichtet. In fünf Modulen (Morphologie, Orthografie, Syntax I, Syntax II, Interpunktion) werden die Grundlagen und Regeln der deutschen Sprache übersichtlich dargelegt und in Aufgaben systematisch angeeignet. Die Reihenfolge der Kapitel ist frei wählbar, der Unterricht lässt sich leicht individualisieren.

Um den Transfer zu Maturitätsarbeiten zu fördern, basieren die Übungen auf anspruchsvollen Fachtexten, insbesondere aus dem Bereich der Geografie. In den Beispielsätzen und Übungen von «GymGrammatik» finden sich somit fachwissenschaftliche Ansätze der Sozial-, Natur- und Geisteswissenschaften, wodurch interdisziplinäres Denken und Kommunizieren gefördert wird. Der gezielte Aufbau der Übungssequenzen erlaubt eine Kompetenzerweiterung vom Wissen über das Anwenden hin zum Umsetzen.

Die dazugehörige Lern-App «GymGrammatik» enthält Begriffsdefinitionen und Lernkarten, auch können eigene Begriffe und Lernkarten erstellt werden. Dies ermöglicht den Lernenden, ihr Wissen aufzufrischen und zu trainieren.

hep-verlag.ch/gymgrammatik